A Foundation Course in the Irish Language

Foilsithe ag

i gcomhar le hIontaobhas ULTACH

Faigheann Iontaobhas ULTACH
tacaíocht ó Fhoras na Gaeilge

Enjoy Irish – A Foundation Course in the Irish Language

Introduction

Oideas Gael has been teaching the Irish language to adult learners since 1984. During this period thousands of learners, from Ireland and all around the world, have attended our classes and have been taught by our excellent panel of teachers drawn from the whole country.

The Oideas Gael 'formula' for learning Irish utilises the communicative method of learning, where emphasis is placed on using the spoken language in a relaxed but structured environment. The mix of classroom learning, evening cultural activities and nightly social interaction relaxes the learner and encourages conversation without the fear of making mistakes. All course participants help and encourage each other along in a holiday-like atmosphere.

This foundation course contains the fundamentals required for achieving a good basis in Irish. The role-play format, with its easy-to-understand explanations, is an enjoyable and informal way to kick off your Irish language learning.

A sound foundation is essential to getting off to a good start in most projects in life and this is the ingredient supplied by our course. It will enable you to set out on a journey of discovery and enjoy the magical world of the Irish language.

Liam Ó Cuinneagáin

How to get the best benefit from this course?

It is always advisable to plan a personal learning strategy when undertaking a new language-learning programme. This strategy often depends on the amount of time you can allocate to the task. We have designed this course so that you may carry it with you easily on a bus or train trip, and listen to the CD, while driving or exercising. Repetition of phrases is a key to initial language acquisition.

We suggest that you study one chapter per week, keeping your targets short and achievable.

To begin with, read the first chapter through, with the aim of grasping the fundamentals of meeting and greeting someone. Listen frequently to the phrases in the role-play and look for opportunities to repeat them out loud, as often as possible. Keep your vocabulary limited, in the early learning stages, and remember that you are progressing in much the same way as you did when acquiring your mother tongue.

Each language has its own innate musical quality. Getting a grasp of the unique sounds and the rhythm of the Irish language is the first challenge for any learner and this will come easily with practice.

Dialects are often mentioned in language learning as obstacles to be surmounted. We in Oideas Gael have always emphasised that the learner should not dwell too much on this. Clarity and simplicity of speech are the primary requirements for beginners and, with time, you will gravitate naturally towards one dialect or another, depending on the region you are most familiar with or to which you are attracted.

Enjoy Irish – Foireann oibre

Is í an **Dr Eithne Ní Ghallchobhair** údar *Enjoy Irish.* Is as Ard an Rátha di agus tá sí ag obair in Acadamh Ríoga na hÉireann mar eagarthóir cúnta ar Foclóir na Nua-Ghaeilge. Is ball í d'fhoireann teagaisc Oideas Gael.

Dr Eithne Ní Ghallchobhair is the author of *Enjoy Irish.* She is from Ard an Rátha, County Donegal, and is assistant editor of *Foclóir na Nua-Ghaeilge* in the Royal Irish Academy. She teaches regularly in Oideas Gael.

Is é **Liam Ó Cuinneagáin** comhairleoir an chúrsa. Is as Gleann Cholm Cille dó agus tá tréimhse caite aige mar mhúinteoir agus mar phríomhoide scoile i lár chathair Bhaile Átha Cliath. Tá sé ina stiúrthóir ar Oideas Gael ó bhí 1995 ann.

Liam Ó Cuinneagáin is an advisor to the course. He is a native speaker from Gleann Cholm Cille, County Donegal. He taught for a number of years as a primary school teacher and was a school principal in Dublin's inner city. He is the language director of Oideas Gael since 1995.

Tá **Donal Casey** ina mhaisitheoir agus ina chartúnaí. D'oibrigh sé le hEithne Ní Ghallchobhair cheana ar leabhar do pháistí *Dhá Chluas Capaill ar Labhraí Loingseach* agus foilsíodh cartúin eile dá chuid i mórchuid irisí, Magill san áireamh. Is as Baile Átha Luain ó dhúchas dó agus tá sé ina chónaí i mBaile Átha Cliath faoi láthair. Féach www.donalcasey.com.

Donal Casey is an illustrator and cartoonist. He has previously worked with Eithne Ní Ghallchobhair on the children's book *Dhá Chluas Capaill ar Labhraí Loingseach.* His political cartoons have appeared regularly in the current affairs magazine Magill and other publications. Originally from Athlone, he currently lives in Dublin. His website address is www.donalcasey.com

Buíochas

Tá Oideas Gael thar a bheith buíoch den Ollamh Seosamh Watson as a chuidiú agus a chomhairle ar an tionscnamh seo.

Tá an leabhar seo tiomnaithe dóibh siúd uilig a d'fhreastail ar chúrsaí Oideas Gael ó 1984 anall.

This course is dedicated to all those people who have attended Oideas Gael courses since 1984.

Aonad 1

Ag Bualadh le Daoine
Meeting People

1a. ÉIST

- Is mise Gráinne.	*I'm Gráinne.*
Is as Dún na nGall mé.	*I'm from Donegal.*
- Is mise Seán.	*I'm Seán.*
Is as Doire mé.	*I'm from Derry.*

- Is mise Seosamh.	*I'm Seosamh.*
Is as Gleann Cholm Cille	*I'm from Gleann Cholm Cille.*
mé. Cad é is ainm duitse?	*What's your name?*
- Cáit is ainm domhsa.	*My name is Cáit.*
- Agus cá has tú, a Cháit?	*And where are you from, Cáit?*
- Is as Ard Mhacha mé.	*I'm from Ard Mhacha.*

Placenames in Irish are really interesting. They often provide a direct description of a specific geographical feature in a given area, other times they allude to historical events. Linguistically, placenames offer a delightful insight into the history of the Irish language.

The places mentioned above:

Dún na nGall, *Donegal*, means 'Fort of the Foreigners.'
The foreigners referred to here are the Vikings who carried out numerous raids on the county in the 8th and 9th centuries.

Gleann Cholm Cille means the 'The Valley of Colm Cille.'
Colm Cille, also known as Columba, was a 6th century Irish saint.

Doire, *Derry*, means 'Oak-grove.'

Ard Mhacha, *Armagh*, means 'Macha's Height.'
Macha was a goddess in ancient Ireland.

If you'd like to find out more about the history of any placename in Ireland, check out the official Placenames Database of Ireland at **www.logainm.ie.**

1a.

- Is mise Gráinne.	*I'm Gráinne.*
Is as Dún na nGall mé.	*I'm from Donegal.*

'Is' is grammatically known as the 'copula'.

'An' replaces 'is' when asking a question.

- An tusa Anna?	*Are you Anna?*
- An as Gleann Cholm Cille tusa?	*Are you from Gleann Cholm Cille?*

The negative of 'is' is 'ní'.

Ní mise Anna.	*I'm not Anna.*
Ní as Gleann Cholm Cille tusa!	*You're not from Gleann Cholm Cille!*

1b. Forainmneacha — Pronouns

Forainmneacha	Pronouns
1 mé	*I*
2. tú	*you*
3. sé / é[1]	*he*
sí / í	*she*
1. muid	*we*
2. sibh	*you* (*pl*)
3. siad	*they*

In the conversations above you may have noticed that *mé* and *tú* became *mise* and *tusa* when emphasis was being placed on the pronoun. In Irish, instead of placing vocal emphasis on a pronoun or on a prepositional pronoun[2] an emphatic form is used.

It is vitally important to learn the emphatic forms, as they are central to gaining fluency in Irish.

[1] Sé/ sí are used when they are the subject of the verb, e.g., D'ól sé caife, *he drank coffee.*
É/ í are used, generally speaking, when they are the object of the verb, e.g., D'ól sé é, *he drank it.*
[2] A prepositional pronoun is a form of personal pronoun which functions as the object of a preposition.

Foirmeacha Treise	**Emphatic Forms**
1. mise	*I*
2. tusa	*you*
3. seisean/ eisean	*he*
sise/ ise	*she*
1. sinne/ muidne	*we*
2. sibhse	*you (pl)*
3. siadsan /iadsan	*they*

1c. With the introduction of each prepositional pronoun, both the simple form and the emphatic form will be given from now on.

Alternatively the word *féin*, meaning *self*, is placed directly after the pronoun, e.g., mé féin *myself*, tú féin *yourself*, etc.

- Cad é is ainm duitse?	*What's your name?*
- Seosamh is ainm domh.	*My name is Seosamh.*

Cad é is ainm duitse means, literally, 'What is the name **for you**?' *Domhsa* and *duitse* are the emphatic forms of *domh* and *duit.*

Below is a list of prepositional pronouns attached to *do* 'for/ to,' with a list of the emphatic forms alongside.

Do: *for, to*

1. domh	*domhsa*
2. duit	*duitse*
3. dó	*dósan*
di	*dise*
1. dúinn	*dúinne*
2. daoibh	*daoibhse*
3. dóibh	*dóibhsean*

2a. ÉIST

Ciarán: Dia duit. Is mise Ciarán.	*Hello. I'm Ciarán.*
Áine: Dia agus Muire duit, a Chiaráin.	*Hello, Ciarán.*
Is mise Áine. Cá has tú?	*I'm Áine. Where are you from?*
Ciarán: Is as Doire mé.	*I'm from Derry.*
Cá has tú féin?	*Where are you from yourself?*
Áine: Is as Baile Átha Cliath mé	*I'm from Dublin*
ach tá mé i mo chónaí	*but I live*
i nDún na nGall anois.	*in Donegal now.*

2a.

In Irish, one way of greeting another person is *Día duit*, literally, God be with you. The reply to this is *Día agus Muire duit*, God and Mary be with you. This may be perceived as being a little formal, nevertheless, you will hear it.

In Donegal, an informal greeting is *Cad é mar atá tú?*

The Irish for Mary is *Máire*. The form used above, Muire, is only used when referring to the Virgin Mary.

Foclóir	**Vocabulary**
agus	*and*
anois	*now*
ach	*but*
cónaí	*living*
cá?	*where?*
cá bhfuil?	*where is?*

Here's our first rule!

Caol le Caol
Leathan le Leathan

Vowels in Irish are broken up into two groups: broad and slender.
The broad vowels are *a, á, o, ó, u, ú.*
The slender vowels are *i, í, e, é*

Basically, this rule stipulates that vowels on either side of a consonant, or a group of consonants, should both be broad or both be slender vowels, e.g.

Cónaí: ó, a broad vowel, precedes the consonant *n* and is followed directly by the broad vowel, *a.*
Baile: i, a slender vowel, precedes the consonant *l* and is followed directly by the slender vowel, *e.*
There are only a few exceptions to this rule.

2b. We have already learned one way of saying 'I am,'
Is as Dún na nGall mé.

We now learn another way of saying 'I am' using the verb *tá.*

The verb 'to be' in Irish is, as in most languages, irregular.

- Cad é mar **a**tá tú, a Chiara?	*How are you, Ciara?*
- Tá mé go maith, go raibh maith agat.	*I'm fine, thank you.*

The *a* prefixed to the verb *tá* above signifies the direct relative clause.

An bhfuil replaces *tá* when asking a question.

An bhfuil tú go maith?	*Are you well?*
An bhfuil tú i do chónaí sa chathair?	*Do you live in the city?*

Níl is the negative of *tá.*

Níl mé go dona.	*I'm not bad.*
Níl mé go maith.	*I'm not well.*

2c. Tá mé i mo chónaí i dTeileann. *I live in Teileann.*

In the statement above we see two fascinating elements which are central to getting a grasp on Irish: eclipsis and lenition.

Let's take a look at them now!

Eclipsis: We see above that *Teileann* became *dTeileann* following the preposition *i.* With eclipsis, the pronunciation of the initial consonant sound is replaced by another. The word is spelt as it usually appears with the eclipsing consonant placed before it. In the example above, the initial 'T' of *Teileann* is replaced by 'd'. The 'd' sound eclipses the 'T' sound so 'T' is no longer heard although it is written. The 'd' is prefixed to 'T' by the preposition *i.*

Seven consonants can be eclipsed, known as *urú* in Irish. There's a specific reason for every occurrence so don't be put off.

The eclipsing consonants are listed below.

m**B**
g**C**
n**D**
bh**F**
n**G**
b**P**
d**T**

Take a look at the following examples and compare them with the list of eclipsing consonants above.

Tá mise i mo chónaí i **nG**aillimh.	*I live in Galway.*
Níl seisean ina chónaí i **nD**ún na nGall.	*He doesn't live in Donegal.*
An bhfuil tusa i do chónaí i **mB**éal Feirste?	*Do you live in Belfast?*

If the place in question begins with a vowel, however, *i* becomes *in.*

Tá mise i mo chónaí **in** Ard Mhacha.	*I live in Armagh.*
Tá Síle ina cónaí **in** Éirinn.	*Síle lives in Ireland.*

How is lenition represented?
Nowadays lenition is always represented by the letter *h* which is placed directly after the consonant. In the past, lenition was represented by a dot placed directly over a consonant. If you look in older printed books, or in many of the thousands of Irish manuscripts you'll see endless examples of this.

Lenition: The following consonants may be lenited: b, c, d, f, g, m, p, s,[3] t. *Séimhiú,* in Irish literally means a 'softening,' and this is how the change to the sound of a consonant is perceived when it is lenited.

As with eclipsis, there's a specific reason for every occurrence of lenition ...we've just met our first!

Tá mé i mo chónaí	*'I am in my living/ staying.'*
Tá tú i do chónaí	*'You are in your* living/ staying.'

TÁ SÉ INA **CHÓNAÍ** I mBAILE ÁTHA CLIATH.

TÁ SIAD INA g**CÓNAÍ** I gCORCAIGH.

TÁ SÍ INA **CÓNAÍ** I mBÉAL FEIRSTE.

[3] Sc, sm, sp, st, are not lenited.

Look at how the initial consonant of the noun changes when preceded by the various possessive pronouns.

The second list illustrates the emphatic endings for nouns.

Below is a list of possessive pronouns along with the noun *teach*, 'house'.

mo theach	*my house*		**mo theachsa**
do theach	*your house*	**séimhiú**	**do theachsa**
a theach	*his house*		**a theachsan**
a teach	*her house*		**a teachsa**
ár dteach	*our house*		**ár dteachna**
bhur dteach	*your house*	**urú**	**bhur dteachsa**
a dteach	*their house*		**a dteachsan**

If a noun begins with a vowel the 'o' of *mo* and *do* is replaced by an apostrophe.

m'athair	*my father*	**m'athairse**
d'athair	*your father*	**d'athairse**
a athair	*his father*	**a athairse**

A, 'her,' places a 'h' in front of all nouns beginning with a vowel.

a hathair	*her father*	**a hathairse**

The first, second and third persons plural place an 'n-' in front of nouns beginning with a vowel.

ár n-athair	*our father*		**ár n-athairne**
bhur n-athair	*your father*	n-	**bhur n-athairse**
a n-athair	*their father*		**a n-athairsean**

1. Líon na bearnaí thíos. Fill in the gaps below.

(a) Tá mé i mo chónaí i __Béal Feirste.

(b) Tá Ciarán ina chónaí i __Dún na nGall.

(c) Tá Síle ina ______ in Albain.

(d) Tá na daoine sin ina _______ sa Fhrainc.

(e) Tá muid inár gcónaí __ Éirinn anois.

(f) An bhfuil Máire ina cónaí i __Gleann Cholm Cille anois?

2. Aistrigh go Béarla. Translate into English.

Dia duit. Is mise Ciarán Ó Dónaill. Is as Gleann Cholm Cille mé ach tá mé i mo chónaí i nDoire anois.

....

....

....

Is mise Laoise Ní Néill. Is as Doire mé ach tá mé i mo chónaí i Sligeach anois.

....

....

Is mise Séamas Ó Cuinn. Tá mé i mo chónaí i mBéal Feirste ach is as Dún na nGall mé.

....

....

3. Cuir na habairtí agus na freagraí a leanas le chéile.

Match the following statements and replies.

Dia duit.	Is as Dún na nGall mé.
Cé tusa?	Tá sé ina chónaí i mBéal Feirste.
Cá has tú?	Is mise Síle
Cá bhfuil Seán ina chónaí?	Tá mé go maith.
Cad é mar atá tú?	Dia agus Muire duit.

Aonad 2

Cuir in Aithne

Introducing People

1a.

ÉIST

- Cé tusa?	*Who are you?*
- Is mise Gearóid.	*I'm Gearóid.*
- Agus cé hé an fear seo, a Ghearóid?	*And who is this guy, Gearóid?*
- Seo é Marcus.	*This is Marcus.*
- Cé hí an bhean seo?	*Who is this woman?*
- Seo í Sorcha.	*This is Sorcha.*
- Cad é mar atá tú, a Shorcha?	*How are you, Sorcha?*
- Tá mé go maith, go raibh maith agat.	*I'm fine, thanks.*
- Cé hé sin?	*Who is that?*
- Sin é Fionn.	*That's Fionn.*
- Cé hí seo?	*Who is this?*
- Seo í Aingeal.	*This is Aingeal.*

1a.

Go raibh maith agat, 'thank you,' translates directly as *May you have good.*

The reply to 'Go raibh maith agat' is 'Go ndéana a mhaith duit,' *May it do you good*!

This form of wish/ blessing is common in Irish.

'Go maire tú an céad!' *May you live the century!*

'Go n-éirí go geal leat!' *May you be successful!*

Foclóir	**Vocabulary**
an fear	*the man*
an bhean	*the woman*
seo	*this*
sin	*that*
anseo	*here*
ansin	*there*
go raibh maith agat	*thank you*
le do thoil	*please*
slán go fóill	*bye for now*
ádh mór	*good luck*

- Cé hé an fear sin? — *Who is that man?*
- Sin é Richard. — *That's Richard.*

- Cé hí an bhean seo? — *Who is this woman?*
- Seo í Kate. — *This is Kate.*

The *h* placed before the é/í above is similar to lenition and follows certain pronouns and other forms.

- Cé hiad na daoine sin, a Bhriain? *Who are those people, Brian?*
- Sin iad mo chairde, a Mhamaí. *Those are my friends, Mam.*

1b. An Tuiseal Gairmeach
The Vocative Case

In the brief conversations above we heard the vocative case, *an tuiseal gairmeach*, being used. This case is used when addressing people directly. The vocative case is preceded by the particle *a*. It lenites the first consonant in a name beginning with a consonant and, with many masculine names, makes the final consonant palatal or 'slender', i.e. in spelling, an *i* is placed before the final consonant. In this way Seán becomes *a Sheáin*, Séamas becomes *a Shéamais.*

If a name begins with a consonant but ends with a vowel, the first consonant is lenited, the ending remains unchanged, e.g. Máire becomes *a Mháire*, Ciara becomes *a Chiara.*

If a name begins and ends with a vowel it remains unchanged, e.g. Aoife remains *a Aoife*, Áine remains *a Áine.*

1c. Tá mé go maith. *I am fine.*

We've just met our first adverb!

Adverbs are generally formed from adjectives simply by inserting *go* in Irish. We'll meet a LOT more of these in the next chapter but you may need a break at this stage.

Glac sos beag!

Take a break!

1. Líon na bearnaí thíos!

(a) **Cáit**: Dia duit, a __________.

Gearóid: Dia agus Muire duit, a __________.

(b) **Seán**: Dia duit, a __________.

Síle: Dia agus Muire duit, a __________.

(c) **Áine**: Cad é mar atá tú, a __________.

Breandán: Tá mé go maith, a __________.

(d) **Ciarán**: Cad é mar atá tú, a __________.

Séamas: Tá mé go breá, a __________.

2.

(a) - Seo ___ Áine.

- Cad é mar atá __, a Áine?

(b) - Sin ___ Ciarán.

- Dia ______, a Chiaráin.

(c) - Cad é mar atá tú?

- Tá ___ go breá, go raibh maith ______.

(d) - Cé ___ seo?

- Seo iad Breandán agus Ciara.

Ag obair le chéile! *Working together.*

3. Cuir na daoine sna léaráidí thíos in aithne do do chomhpháirtí.

Introduce the people in the illustrations below to your partner.

PEADAR: BAILE ÁTHA LUAIN

RÓISÍN: LUIMNEACH

TOMÁS: SLIGEACH

SIOBHÁN + PAT: CORCAIGH

Aonad 3

Cad é mar atá tú?
How are you?

1a. ÉIST

Seán: A Ghráinne, cad é mar atá tú?	*Gráinne, how are you?*
Gráinne: Tá mé go maith,	*I'm well,*
go raibh maith agat.	*thank you.*
Cad é mar atá tú féin?	*How are you, yourself?*
Seán: Tá mé go breá,	*I'm fine,*
go raibh maith agat.	*thanks.*
Gráinne: Cá bhfuil tú i do chónaí anois?	*Where do you live now?*
Seán: Tá mé i mo chónaí i mBéal Feirste.	*I live in Belfast.*
Gráinne: An bhfuil? Mise fosta!	*Do you? Me too!*

When asking a native Irish speaker in Ulster how they are you'll often hear the reply, *Níl caill orm.* This translates into English as, 'There's not a loss on me.' In Oideas Gael we encourage learners to listen out for wee phrases such as these. You may not see them written down very often but do try to use them at every opportunity. You WILL impress!

Foclóir	**Vocabulary**
go maith	*well*
go breá	*fine*
go hiontach	*wonderful*
ceart go leor	*OK*
go measartha	*middling*
go dona	*bad*
go holc	*awful*
Níl caill orm	*I'm not so bad*
gach aon/achan	*every one*

2a. **ÉIST**

Áine: A Iain, cad é mar atá tú inniu?	*Iain, how are you today?*
Iain: Níl mé go maith.	*I'm not well.*
Áine: Cad é atá ort?	*What's wrong with you?*
Iain: Tá slaghdán orm.	*I have a cold.*

Máire: A Thomáis,	*Tomás,*
cad é atá ort inniu?	*what's wrong with you today?*
Tomás: Tá tinneas cinn orm,	*I have a headache,*
tá tuirse orm agus tá ocras orm.	*I'm tired and I'm hungry.*
Máire: Drochlá, mar sin!	*A bad day, so!*

Breandán: Tá carr deas agat,	*You have a lovely car,*
a Dheirdre.	*Deirdre.*
Deirdre: Go raibh maith agat.	*Thank you.*
Tá rothar deas agatsa.	*You have a lovely bicycle.*

Dónal: An bhfuil cóta agat?	*Do you have a coat?*
Eibhlín: Níl cóta agam	*I don't have a coat*
ach tá geansaí mór agam.	*But I have a big jumper.*

Foclóir	**Vocabulary**
Tá tinneas cinn orm.	*I have a headache.*
Tá ocras ort.	*You are hungry.*
Tá tart air.	*He is thirsty.*
Tá drochnéal uirthi.	*She is in bad humour.*
Tá slaghdán orainn.	*We have a cold.*
An bhfuil tuirse oraibh?	*Are you (pl.) tired?*
An bhfuil fearg orthu?	*Are they angry?*
Tá cóta agam.	*I have a coat.*
An bhfuil carr agat?	*Do you have a car?*
Níl ciall aige.	*He has no sense.*
Tá teach úr aici.	*She has a new house.*
Tá airgead againn.	*We have money.*
An bhfuil deoch agaibh?	*Do you (pl.) have a drink?*
Tá Gaeilge acu.	*They have (speak) Irish.*

Tá galar tógálach orm! *I have a contagious disease!*

2a.

There is no single verb in Irish for *to have/ to own.* The verb *tá* is used in conjunction with the prepositional pronoun *ar*, 'on,' to denote a feeling or a state of being. The prepositional pronoun *ag*, 'at,' is used to denote possession.

- An bhfuil slaghdán **ort**? — *Do **you** have a cold?*
- Níl, ach tá tinneas cinn **orm**. — *No, but **I** have a headache.*

- An bhfuil rothar **agat**, a Úna? — *Do **you** have a bicycle, Úna?*
- Tá rothar **agam** ach tá sé briste. — ***I** have but it is broken.*

Below are the prepositional pronouns of *ar* 'on,' with a list of the emphatic forms alongside.

ag: *on*

1.	orm	ormsa
2.	ort	ortsa
3.	air	airsean
	uirthi	uirthise
1.	orainn	orainne
2.	oraibh	oraibhse
3.	orthu	orthusan

Below are the prepositional pronouns of *ag* 'at,' with a list of the emphatic forms alongside.

ag: *on*

1.	agam	agamsa
2.	agat	agatsa
3.	aige	aigesean
	aici	aicise
1.	againn	againne
2.	agaibh	agaibhse
3.	acu	acusan

1. Aistrigh go Gaeilge. Translate into Irish.

(a) **Treasa**: Cad é mar atá tú, a Shíle?
Síle: I'm fine, thank you. And yourself?

(b) **Bríd**: Cad é mar atá tusa, a Mháirín?
Máirín: I'm OK today.

(c) **Nóirín**: How are you, Anna?
Anna: Níl caill orm.

(d) **Brían**: Cad é mar atá sibh inniu?
Rang: We're tired.

2. Líon na bearnaí!

(a) Tá carr dubh ag Séamas. Tá carr dubh ______.

(b) "Níl mé go maith inniu. Tá slaghdán ______."

(c) "An bhfuil tuirse ______ a pháistí?"

(d) "Níl Cathal anseo. Tá tinneas cinn _______."

(e) Tá teach úr ag Ciara. Tá teach úr _______."

(f) "A Úna, an bhfuil ____ go maith?"
"Níl caill ____, go raibh maith ______"

(g) "An bhfuil cótaí ______, a pháistí?"

3. Cuir ceisteanna leis na freagraí thíos.
Add the question to the answers below.

Freagra	**Ceist**
(a) Is mise Saoirse.	____________________
(b) Seo é Peadar.	____________________
(c) Is as Dún na nGall mé.	____________________
(d) Tá mé i mo chónaí i nDoire.	____________________
(e) Tá mé go breá, go raibh maith agat.	____________________

4. Amharc ar na léaráidí thíos agus scríobh cúpla abairt faoi achan cheann.

Look at the illustrations below and write a short account based on each one.

Aonad 4

Cad é mar atá an aimsir?
How is the weather?

1a.

ÉIST

Gráinne: Tá lá breá ann inniu.	*It's a nice day today.*
Seán: Tá sé go hálainn, nach bhfuil?	*It's lovely, isn't it?*
Gráinne: Tá sé grianmhar…	*It's sunny...*
Seán: ..agus AN-te.	*and VERY hot!*

Sinéad: Cad é mar atá an aimsir sa bhaile, a Shíle?	*How is the weather at home, Síle?*
Síle: Tá sé ag cur fearthainne agus tá sé an-ghaofar inniu.	*It's raining and it's very windy today.*

Foclóir	**Vocabulary**
an spéir	*the sky*
an ghrian	*the sun*
an fhearthainn	*the rain*
an ghaoth	*the wind*
an sneachta	*the snow*
na scamaill	*the clouds*
Tá sé go deas	*It's lovely*
Tá sé go hálainn	*It's beautiful*
Tá drochlá ann	*It's a bad day*
Tá sé ag cur fearthainne	*It's raining*
Tá sé ag cur sneachta	*It's snowing*
te	*warm*
fuar	*cold*
fliuch	*wet*
geal	*bright*
dorcha	*dark*
grianmhar	*sunny*
gaofar	*windy*
Tá sé measartha te	*It's fairly warm*
Tá sé measartha fuar	*It's fairly cold*
Tá sé an-fhuar	*It's very cold*
Tá sé an-fhliuch	*It's very wet*
Tá sé an-deas	*It's very nice*
Tá sé an-te	*It's very warm*
Tá sé róthe	*It's too warm*
Tá sé rófhuar	*It's too cold*
inniu	*today*
anocht	*tonight*
amárach	*tomorrow*
inné	*yesterday*
aréir	*last night*

1a.

Nach bhfuil an lá go hálainn? *Isn't it a lovely day?*

Nach méanar duit? *Isn't it well for you?*

Nach is a relative particle which precedes the dependent form of the verb. This is the form of the verb used after *nach* and other related forms which we'll learn later.

Tá an lá go deas inniu, **nach bhfuil**?
It's a nice day today, isn't it?

Tá seo ar eolas agat anois, **nach bhfuil**?
You know this now, don't you?

2a. **Eoghan:** Lá deas, a Mháire. — *A lovely day, Máire.*

Cad é mar atá tú inniu? — *How are you today?*
Máire: Tá mé go breá, go raibh maith agat. — *I'm fine, thanks.*
Cad é mar atá tú féin? — *How's yourself?*
Eoghan: Níl caill orm. — *I'm not bad.*
Máire: Cad é mar atá an aimsir? — *How is the weather?*
Eoghan: Tá sé gaofar ach te. — *It's windy but warm.*

Seán: Dia duit. — *Hello.*
Ciara: A Sheáin, Ciara anseo. — *Hi, Seán. Ciara here.*
Seán: Cá bhfuil tú? — *Where are you?*
Ciara: Tá mé sa Spáinn. — *I'm in Spain.*
Seán: Sa Spáinn! Nach méanar duit! — *In Spain! Lucky you!*
Cad é mar atá an aimsir ansin? — *How is the weather there?*
Ciara: Tá sé grianmhar agus te. — *It's sunny and warm.*
Cad é mar atá an aimsir sa bhaile? — *How is the weather at home?*
Seán: Fuar, fliuch, gaofar...! — *Cold, wet, windy..!*

Liam: A Threasa, cad é mar atá tú? — *Treasa, how are you?*
Treasa: Tá mé fuar ach tá mé sásta. — *I'm cold but I'm happy.*
Liam: Cá bhfuil tú? — *Where are you?*
Treasa: Tá mé ag an Mhol Thuaidh. — *I'm at the North Pole.*
Liam: Cad é mar atá an aimsir? — *What's the weather like?*
Treasa: Grianmhar, ceomhar agus siocúil. — *Sunny, misty and frosty.*

2a. 'An,' meaning *very*, lenites all adjectives beginning with b, c, f, g, m or p. 'An' is followed by a hyphen.

Tá sé an-fhuar.	It's very cold.
Nach bhfuil sé an-ghaofar?	Isn't it very windy?
ACH	*BUT*
Tá sé an-deas.	It's very nice.
Tá sé an-te.	It's very warm.

Ró, meaning 'too/ excessive', lenites adjectives beginning with b, c, f, g, m, p, s, t. It is followed by a hyphen, generally speaking, if the adjective to which it is attached begins with a vowel.

Tá sé róghaofar	It's too windy
Tá sé ródhorcha	It's too dark
Tá sé róthe	It's too hot
ACH	*BUT*
Níl sé ró-olc	It's not too bad

2b. When the preposition *i*, 'in,' is connected with the definite article, *an*, 'the', the result is *sa* before consonants and *san* before words beginning with a vowel or *f* + vowel. *Sa* and *san* lenite nouns beginning with those consonants which may be lenited.

In many languages the names of countries are preceded by *the*, e.g. *la France*. This also occurs in Irish to a great extent, e.g. *an Fhrainc*. We'll be looking at this in the unit where we discuss countries.

The plural of *sa* is *sna*. *Sna* never lenites.

Tá Bríd sna Stáit Aontaithe.
Bríd is in the United States.

1. Aistrigh go Béarla!

(a) Tá an aimsir go deas inniu i nDún na nGall ach tá sé ag cur fearthainne i nDoire.

....

....

(b) Tá an lá inniu an-fhuar le gaoth agus le sneachta. Tá sé gaofar go leor fosta.

....

....

(c) Ta an aimsir go hálainn anseo i mBaile Átha Cliath. Tá sé go deas te agus grianmhar.

....

....

2. Cad é mar atá an aimsir inniu?

....

....

....

....

....

....

....

....

Aonad 5

Uimhreacha
Numbers

1a. - Cad é an t-am é? *What time is it?*
- Tá sé a seacht a chlog. *It's seven o' clock.*

ÉIST

- Cad é an t-am é, le do thoil? *What time is it, please?*
- Tá sé a haon a chlog. *It's one o' clock.*

ÉIST

Tá sé leath i ndiaidh a seacht.	It's half past seven.
Tá sé ceathrú i ndiaidh a hocht.	It's a quarter past eight.
Tá sé ceathrú go dtí a deich.	It's a quarter to ten.
Tá sé fiche bomaite go dtí a dó.	It's twenty minutes to two.

Foclóir

1	a haon	11	a haon déag
2	a dó	12	a dó dhéag
3	a trí	13	a trí déag
4	a ceathair	14	a ceathair déag
5	a cúig	15	a cúig déag
6	a sé	16	a sé déag
7	a seacht	17	a seacht déag
8	a hocht	18	a hocht déag
9	a naoi	19	a naoi déag
10	a deich	20	fiche

1b. ÉIST

Seán: Cad é an uimhir gutháin atá agat, a Ghráinne?	*What's your phone number, Gráinne?*
Gráinne: A neamhní, a hocht, a seacht, a cúig, a trí, a dó, a sé, a trí, a ceathair.	*087 532634.*
Cad é an uimhir gutháin atá agatsa, a Sheáin?	*What's your phone number, Seán?*
Seán: A neamhní, a hocht, a sé, a ceathair, a dó, a haon, a trí, a naoi.	*086 42139.*

1c.

ÉIST

- Ba mhaith liom dhá chupán caife agus císte amháin, le do thoil.	*I'd like two cups of coffee and one cake, please.*
- Maith go leor. Ar mhaith leat rud ar bith eile?	*Fine. Would you like anything else?*
- Trí cheapaire agus ceithre mhilseog.	*Three sandwiches and four desserts.*
- Ceart go leor.	*OK!*
- Cá mhéad atá air?	*How much is that?*
- Fiche euro agus caoga cent.	*Twenty euro and fifty cent.*

ÉIST

- Ba mhaith liom dhá phionta Guinness agus trí bhuidéal fíona.	*I'd like two pints of Guinness and three bottles of wine.*
- Fadhb ar bith. Sin cúig euro dhéag, le do thoil.	*No problem. That's fifteen euro, please.*
- Seo fiche.	*Here's twenty.*
- Agus cúig euro ar ais. Go raibh maith agat.	*And five euro back. Thank you.*

Foclóir

21	fiche a haon	70	seachtó
22	fiche a dó	80	ochtó
30	tríocha	90	nócha
40	ceathracha/ daichead	100	céad
50	leathchéad/caoga	1,000	míle
60	seasca		

(a) Tá sé leath i ndiaidh a seacht. *It's half past seven.*

Tá sé ceathrú i ndiaidh a hocht. *It's a quarter past eight.*

Tá sé a haon a chlog. *It's one o'clock.*

The prefix *a* places a *h* before numerals beginning with a vowel, e.g. *aon* and *ocht.* This rule is that *a* is applied to numbers when telling the time, counting out loud, in giving telephone numbers and as ordinals (ordinal numbers indicate the order of objects) following nouns, e.g. *Aonad a Cúig*!

(b) You may have noticed in **1c** above that *dó* and *ceathair* suddenly became *dhá* and *ceithre* and that *déag* was lenited following a vowel. These numerals have different forms when used before nouns from those used when we are counting things in Irish. Below is a table outlining how numbers affect nouns in Irish.

1	2-6	7-10	11-16	17-20
bó amháin	dhá bhó	seacht mbó	aon bhó dhéag	seacht mbó dhéag
	trí bhó	ocht mbó	dhá bhó dhéag	ocht mbó dhéag
	ceithre bhó	naoi mbó	trí bhó dhéag	naoi mbó dhéag
	cúig bhó	deich mbó	ceithre bhó dhéag	fiche bó
	sé bhó		cúig bhó dhéag	
			sé bhó dhéag	

Cleachtadh!!

Cleachtadh!!

Cleachtadh!!

1. Cuir Gaeilge ar an Bhéarla.

(a) **Treasa:** Cad é an t-am é, a Shíle?
Síle: It's half past nine.

(b) **Bríd:** Cad é an t-am é, a Mháirín?
Máirín: It's a quarter to twelve.

(c) **Áine:** What time is it now, please?
Breandán: It's a quarter to seven.

(d) **Ciarán:** What time is it?
Iain: It's half past six.

2. Amharc ar na léaráidí thíos agus abair cad é an t-am é.
Look at the illustrations below and say what time it is.

....

....

....

....

3. Súil Siar! *Looking Back (Revision)*

Cuir na daoine seo a leanas in aithne do dhuine eile sa rang.
Introduce the following people to another person in the class.

Ainm	**Tír**	**Uimhir**
Ciarán	Éire	087 91238764
Simon	Gaillimh	0035378 27893
Michelle	Na Stáit Aontaithe	00186598325
Ciorstaidh	Béal Feirste	004428 1698329
Judith	Doire	0044 7823375821

Aonad 6

An Teach
The House

1a. ÉIST

Seán: Cá bhfuil tú i do chónaí	*Where do you live*
i mBéal Feirste, a Ghráinne?	*in Belfast, Gráinne?*
Gráinne: Tá árasán ar cíos agam	*I'm renting an apartment*
i lár na cathrach.	*in the city centre.*
Seán: An bhfuil an t-árasán	*Is the apartment*
beag nó mór?	*big or small?*
Gráinne: Tá sé mór go leor domhsa.	*It's big enough for me.*
Tá cistin, seomra suite,	*It has a kitchen, sitting-room,*
dhá sheomra codlata agus	*two bedrooms and*
seomra folctha ann.	*a bathroom.*
Seán: Tá sin go breá, nach bhfuil?	*That's fine, isn't it?*
Gráinne: Tá. Tá mé an-sásta leis.	*It is. I'm very pleased with it.*

1b. ÉIST

- Is maith liom an teach seo.	*I like this house.*
Tá neart spáis ann	*There's lots of space in it and*
agus tá gáirdín breá mór leis.	*there's a lovely big garden with it.*
- Cá mhéad seomra atá ann?	*How many rooms are in it?*
- Tá seomra bia, cistin,	*There's a dining room, a kitchen,*
seomra suite agus	*a sitting room and*
dhá sheomra folctha	*two bathrooms*
thíos staighre.	*downstairs.*
Thuas staighre	*Upstairs*
tá ceithre sheomra codlata agus	*there are four bedrooms and*
trí sheomra folctha. Tá sé mór.	*three bathrooms. It's big.*

Foclóir

an chistin	*the kitchen*	an scioból	*the shed*
an seomra folctha	*the bathroom*	an gairdín	*the garden*
an leithreas	*the toilet*	an garáiste	*the garage*
an seomra bia	the *dining room*	an íoslann	*the basement*
an seomra codlata	*the bedroom*	an t-áiléar	*the attic*
an seomra suite	*the sitting room*		
an halla	*the hall*	teach ar cíos	*rented house*
thuas staighre	*upstairs*	ag roinnt tí	*sharing a house*
thíos staighre	*downstairs*	an t-árasán	*the apartment*

Foclóir			
an tábla	the table	**an fhuinneog**	the window
an chathaoir	the chair	**an lampa**	the lamp
an tolg	the couch/ sofa	**an troscán**	the furniture
an t-oigheann	the oven	**an leithreas**	the toilet
an sorn	the stove	**an cith**	the shower
an cuisneoir	the fridge	**an folcadán**	the bath
an tine	the fire	**an doirteal**	the sink
an teallach	the fireplace		
an leaba	the bed	**ar**	on
an prios	the press	**faoi**	under
an doras	the door	**idir**	between

2a. ÉIST

- Cá bhfuil mo rothar? *Where's my bike?*
- Tá sé sa gharáiste. *It's in the garage.*

- Cá bhfuil an bainne? *Where's the milk?*
- Tá an bainne sa chuisneoir. *The milk is in the fridge.*

- Tá an lampa thuas ar an tseilf. *The lamp is up on the shelf.*

- Tá an stól faoin chathaoir sa seomra suite. *The stool is under the chair in the sitting room.*

- Tá an planda ar an urlár. *The plant is on the floor.*

- Tá an seomra folctha taobh leis an seomra codlata. *The bathroom is beside the bedroom.*

- Tá an crúiscín ar an tábla sa chistin. *The jug is on the table in the kitchen.*

- Tá an cat os comhair na tine. *The cat is in front of the fire.*

- Tá an t-arán istigh san oigheann. *The bread is in the oven.*

- Tá na páistí amuigh sa ghairdín. *The children are out in the garden.*

- Tá an crann Nollag thuas san áiléar. *The Christmas tree is up in the attic.*

- Tá an t-inneall níocháin thíos san íoslann. *The washing machine is down in the cellar.*

- Tá na cupáin istigh sa phrios. *The cups are in the press.*

CÁ BHFUIL CATHAL AN CAT?

Aonad 7

Laethanta agus Dátaí
Days and Dates

1a.

- Cad é an lá atá ann inniu?	*What day is it today?*
- Dé Luain atá ann inniu!	*Today is Monday!*
- Cad é an lá a bhí ann inné?	*What day was it yesterday?*
- Dé Céadaoin a bhí ann inné!	*Yesterday was Wednesday!*
- Cad é an lá a bheas ann amárach?	*What day will it be tomorrow?*
- Dé hAoine a bheas ann!	*It will be Friday!*

ÉIST

The names of the days of the week are FASCINATING in Irish.
Dé Luain: The day of the moon, Latin *Luna.*
Dé Máirt: The day of the Roman warrior god, Mars.
Dé Céadaoin: The day of the first fasting.
Déardaoin: The day between two fasts.
Dé hAoine: The day of fasting.
Dé Sathairn: The day of the Roman god of agriculture, Saturn.
Dé Domhnaigh: The day of the Lord.

ÉIST

Foclóir

Dé Luain	*Monday*
Dé Máirt	*Tuesday*
Dé Céadaoin	*Wednesday*
Déardaoin	*Thursday*
Dé hAoine	*Friday*
Dé Sathairn	*Saturday*
Dé Domhnaigh	*Sunday*
an deireadh seachtaine	*the weekend*
maidin	*morning*
oíche	*night*
tráthnóna	*evening*
nóin	*afternoon*

Foclóir	
oíche Luain	*Monday night*
oíche Mháirt	*Tuesday night*
oíche Chéadaoin	*Wednesday night*
oíche Déardaoin	*Thursday night*
oíche Aoine	*Friday night*
oíche Shathairn	*Saturday night*
oíche Dhomhnaigh	*Sunday night*

1a.

Cad é an lá **atá** ann inniu?	*What day* ***is*** *it today?*
Cad é an lá **a bhí** ann inné?	*What day* ***was*** *yesterday?*
Cad é an lá **a bheas** ann amárach?	*What day* ***will*** *it be tomorrow?*

We mentioned earlier that the verb *tá*, 'to be,' is irregular in Irish. It's a wee bit early to begin learning the past and future tenses yet but it's never too early to introduce them since you'll be able to recognise them when you see them from now on and, hopefully, you'll be seeing them quite often. Note the use here of *ann* 'there' (lit. 'in it') often found with 'to be' in such expressions.

In the past tense *Cad é mar atá tú inniu?* becomes
Cad é mar a bhí tú inné? 'How were you yesterday?'

Cad é mar a bhí an aimsir inné?
Bhí sé grianmhar!

Cad é mar atá an aimsir inniu? in the future tense becomes *Cad é mar a bheas an aimsir amárach?* 'What will the weather be like tomorrow?'

The common future form of *tá* is *beidh.* In Ulster dialects, and many others, *beidh* becomes *(a) bheas* in relative clauses like the following.[4]

Cad é mar a bheas an aimsir amárach?
Beidh sé go hálainn!

[4] Note that, though *aimsir* is a feminine noun, we talk about the weather using *sé, é.*

ÉIST

Míonna na Bliana	***Months of the Year***
Eanáir	*January*
Feabhra	*February*
Márta	*March*
Aibreán	*April*
Bealtaine	*May*
Meitheamh	*June*
Iúil	*July*
Lúnasa	*August*
Meán Fómhair	*September*
Deireadh Fómhair	*October*
Samhain	*November*
Nollaig	*December*
an tseachtain seo	*this week*
an tseachtain seo caite	*last week*
an tseachtain seo chugainn	*next week*
an mhí seo	*this month*
an mhí seo caite	*last month*
an mhí seo chugainn	*next month*
i mbliana	*this year*
an bhliain seo caite	*last year*
an bhliain seo chugainn	*next year*

Ráithí na Bliana	Seasons of the Year
An tEarrach	*Spring*
An Samhradh	*Summer*
An Fómhar	*Autumn*
An Geimhreadh	*Winter*

2a. Dátaí

ÉIST

- Cad é mar a bhíonn an aimsir in Éirinn sa gheimhreadh?	*How's the weather in Ireland in winter?*
- Bíonn sé fliuch agus fuar.	*It's wet and cold.*
- Cad é mar a bhíonn an aimsir san earrach?	*What's the weather like in spring?*
- Bíonn sé fliuch agus fuar fosta.	*It's wet and cold as well.*

2b.

ÉIST

Seán: Cad é an lá breithe atá agat, a Ghráinne?	*What's your birthday, Gráinne?*
Gráinne: An chéad lá de Nollaig.	*The 1st of December.*
Cad é an lá breithe atá agatsa?	*What's your own birthday?*
Seán: An tríú lá de Lúnasa.	*The 3rd of August.*
Gráinne: Á! Beidh lá breithe agat an tseachtain seo chugainn!	*Ah! You're birthday is next week!*
Seán: Tá mé óg go fóill!	*I'm still young.*

Foclóir

an chéad lá	*the first day*
an dara lá	*the second day*
an tríú lá	*the third day*
an ceathrú lá	*the fourth day*
an cúigiú lá	*the fifth day*
an séú lá	*the sixth day*
an seachtú lá	*the seventh day*
an t-ochtú lá	*the eighth day*
an naoú lá	*the ninth day*
an deichiú lá	*the tenth day*
an t-aonú lá déag	*the eleventh day*
an dara lá déag	*the twelfth day*
an tríú lá déag	*the thirteenth day*
an fichiú lá	the *twentieth day*
an chéad lá is fiche	*the twenty-first day*
an dara lá is fiche	*the twenty-second day*
an tríochadú lá	*the thirtieth day*

2a.

Bíonn sé fuar agus fliuch. *It's cold and wet.*

The verb *bí* is another (and final!) verb used for 'to be' in Irish. This form is used to indicate a continual or recurrent action and is used in the present only.

Earlier we learned how to say *the weather is nice today* as *Tá an aimsir go deas inniu.* The verb *bí* is used when a particular action or condition is lasting or of frequent occurrence. For example, *Bíonn sé te agus grianmhar mí Lúnasa* is to say that August is usually warm and sunny.

The negative form of *bíonn* is *ní bhíonn,* as *ní* generally lenites the initial of a following verb – of which more later!

- Bíonn tú ag caint i dtólamh! *You're always talking!*
- Agus ní b**h**íonn tusa ag éisteacht liom! *And you don't listen to me!*

AN GEIMHREADH IN ÉIRINN!

AN SAMHRADH IN ÉIRINN!

2b. An ceathrú lá de Mhárta. — *The 4th of May.*
An chéad lá de Shamhain. — *The 1st of November.*

Below is a list of the prepositional pronouns of *de.*

Forainmneacha réamhfhoclacha

Prepositional Pronouns

de: 'of/ off'

1.	díom	*díomsa*
2.	díot	*díotsa*
3.	de	*desean*
	di	*dise*
1.	dínn	*dínne*
2.	díbh	*díbhse*
3.	díobh	*díobhsan*

1. Aistrigh go Béarla.

(a) Cáit: Cad é an lá breithe atá agat, a Ghearóid?
Gearóid: An chéad lá de Dheireadh Fómhair, naoi déag seachtó trí.

....

....

....

(b) Cáit: Cad é an lá breithe atá agat, a Mháirín?
Máirín: An ceathrú lá de Lúnasa, dhá mhíle agus a seacht.

....

....

....

(c) Cáit: Cad é an dáta atá ann inniu, a Sheáin?
Seán: Inniu an fichiú lá de Bhealtaine.

....

....

....

2. Cuir ceist ar na daoine eile sa rang cad é an lá breithe atá acusan.
Ask the other people in the class what their birthday is.

3. Líon na bearnaí!

Eanáir: Bíonn an aimsir ___________ agus ___________.

Feabhra: Bíonn an aimsir ___________ agus ___________.

Márta: Bíonn an aimsir ___________ agus ___________.

Aibreán: Bíonn an aimsir ___________ agus ___________.

Bealtaine: Bíonn an aimsir ___________ agus ___________.

Meitheamh: Bíonn an aimsir ___________ agus ___________.

Iúil: Bíonn an aimsir ___________ agus ___________.

Lúnasa: Bíonn an aimsir ___________ agus ___________.

Meán Fómhair: Bíonn an aimsir ___________ agus ___________.

Deireadh Fómhair: Bíonn an aimsir ___________ agus ___________.

Samhain: Bíonn an aimsir ___________ agus ___________.

Nollaig: Bíonn an aimsir ___________ agus ___________.

Aonad 8

Tíortha
Countries

1a. **Sacha:** Cá has tú, a Mharek?	*Where are you from, Marek?*
Marek: Is ón Pholainn ó dhúchas mé	*I'm from Poland originally*
ach tá mé i mo chónaí	*but I live in*
i nGaillimh anois.	*Galway now.*
Agus tú féin?	*And yourself?*
Sacha: Is ón Ostair ó dhúchas mé	*I'm originally from Austria*
ach tá mé i mo chónaí sa Fhrainc anois.	*but I live in France now.*

Pablo: Cá has tú, a Shíle?	*Where are you from, Síle?*
Síle: Is as Sasana mé.	*I'm from England.*
Cá has tú féin?	*Where are you from, yourself?*
Pablo: Is ón Spáinn ó dhúchas mé	*I'm originally from Spain*
ach tá mé i mo chónaí sa	*but I live in*
Ghearmáin anois.	*Germany now.*

ÉIST

Foclóir

Tír	*Country*
an Fhrainc	*France*
an Ghearmáin	*Germany*
an Spáinn	*Spain*
an Iodáil	*Italy*
an Phortaingéil	*Portugal*
an Fhionlainn	*Finland*
an tSualainn	*Sweden*
an Iorua	*Norway*
an Eilvéis	*Switzerland*
an Ostair	*Austria*
an Pholainn	*Poland*
an Laitvia	*Latvia*
an tSlóivéin	*Slovenia*
an tSlóvaic	*Slovakia*
an Bhreatain Bheag	*Wales*
Sasana	*England*
Alba (in Albain)	*Scotland*
Éire (in Éirinn)	*Ireland*

Foclóir

Náisiúntacht	*Nationality*
Francach	*French*
Gearmánach	*German*
Spáinneach	*Spanish*
Iodálach	*Italian*
Portaingéileach	*Portuguese*
Fionlannach	*Finnish*
Sualannach	*Swedish*
Ioruach	*Danish*
Eilvéiseach	*Swiss*
Ostarach	*Austrian*
Polannach	*Polish*
Laitviach	*Latvian*
Slóivéineach	*Slovenian*
Slóvacach	*Slovacian*
Breatnach	*Welsh*
Sasanach	*English*
Briotánach	*Breton*
Albanach	*Scottish*
Éireannach	*Irish*

1a.

In saying where we live *i* 'in' is followed by eclipsis if the name of the place in question begins with one of the consonants which can be eclipsed.

Tá mise i mo chónaí **i b**Páras.	*I live in Paris.*
An bhfuil tusa i do chónaí i **m**Barcelona?	*Do you live in Barcelona?*

If the place in question begins with a vowel, however, *i* becomes *in:*

Tá mise i mo chónaí **in** Albain.	*I live in Scotland.*
Tá Síle ina cónaí **in** Éirinn.	*Síle lives in Ireland.*

When joined with *an*, 'the', *i* is replaced by *sa* before consonants and *san* before vowels or *f-* + vowel. *Sa* (and *san* before *f-*) are always followed by *séimhiú.*

Tá mise i mo chónaí **sa Fhrainc**.	*I live in France.*
Tá Mícheál ina chónaí **sa Ghearmáin**.	*Mícheál lives in Germany.*
Tá Saoirse ina cónaí **san Fhíonlainn**.	*Saoirse lives in Finland.*

The plural of *sa* is *sna. Sna* is never followed by séimhiú.

Tá Ciara ina cónaí **sna Stáit Aontaithe**.	*Ciara lives in the United States.*

1b. When the preposition *ó* 'from,' is linked with *an*, 'the' it becomes *ón*, which is followed by *séimhiú.*

Is ón Fhrainc mé.	*I'm from France.*
Is ón Pholainn mé.	*I'm from Poland.*

Names of countries beginning with a vowel do not change.

Is ón Iodáil mé.	*I'm from Italy.*

2a.

- Cá has tú, a Chaitríona?	*Where are you from, Caitríona?*
- Is ón Spáinn mé.	*I'm from Spain.*
- Á! Is Spáinneach tú!	*Ah! You're Spanish.*

- An Slóvacach tusa, a Mharcin?	*Are you Slovakian, Marcin?*
- Ní Slóvacach mé. Is Polannach mé!	*I'm not Slovakian, I'm Polish.*

Líon na bearnaí!

(a) Is ón Fhrainc mé. Is ___________ mé.

(b) Is ón Eilvéis mé. Is ___________ mé.

(c) Is ón Ghearmáin mé. Is ___________ mé.

(d) Is ón Spáinn mé. Is ___________ mé.

(e) Is ón Pholainn mé. Is ___________ mé.

2. Cá has d'achan duine eile sa rang? Bí ag caint!

Aonad 9

An maith leat?
Do you like?

1a.  ÉIST

Seán: An maith leat ceol traidisiúnta, a Ghráinne?	*Do you like traditional music, Gráinne?*
Gráinne: Is maith liom go mór é.	*I like it a lot.*
An maith leat féin é?	*Do you like it yourself?*
Seán: Is breá liom é.	*I love it.*
Gráinne: Beidh ceolchoirm ar siúl anocht ag a naoi san óstán.	*There will be a concert tonight at nine in the hotel.*
An bhfuil suim agat dul ann?	*Are you interested in going to it?*
Seán: Tá. Beidh sin thar barr!	*Yes. That will be brilliant!*

Foclóir

An maith leat?	*Do you like?*
Ní maith liom	*I don't like*
Is maith liom	*I like*
Is breá liom	*I like very much*
Is fuath liom	*I dislike very much*
Is fearr liom	*I prefer*
Ar mhaith leat	*Would you like*
Ba mhaith liom	*I would like*
B'fhearr liom	*I would prefer*

1b. - An maith leat snagcheol, a Shíle? *Do you like jazz, Síle?*
- Is maith ach is fearr liom ceol clasaiceach. *Yes but I prefer classical music.*

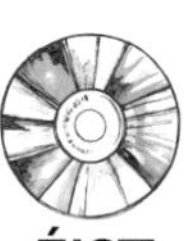

ÉIST

- An maith libh an ceantar seo? *Do you like this area?*
- Is maith, ach is fuath linn an drochaimsir! *Yes, but we hate the bad weather.*

We meet the copula forms *is, an, ní* here once again used with the adjective, *maith.*

Is maith liom an ghramadach!	*I like grammar!*
Ní maith liom an clár seo.	*I don't like this programme.*
Ní maith liom rac-cheol.	*I don't like rock music.*
Is fearr liomsa ceol hip hap.	*I prefer hip-pop music.*

Below is a list of the prepositional pronouns of *le* 'with,' with emphatic forms alongside.

1.	liom	liomsa
2.	leat	leatsa
3.	leis	leisean / leis-sean
	léi	léise
1.	linn	linne
2.	libh	libhse
3.	leo	leosan

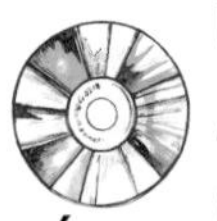
ÉIST

2a. **Máire:** Ba mhaith liom caife, le do thoil. — *I'd like a coffee, please.*
Áine: Caife dubh? — *A black coffee?*
Máire: B'fhearr liom caife bán. — *I'd prefer a white coffee.*
Áine: Fadhb ar bith! Sin dhá euro seachtó cúig cent. — *No problem. That's two euro seventy-five cent.*

ÉIST

Áine: Anois! Cad é ba mhaith leat? — *Now! What would you like?*
Síle: Ba mhaith liom anraith, le do thoil. — *I'd like soup, please.*
Áine: Cinnte. Ar mhaith leat arán? — *Certainly. Would you like bread?*
Síle: Níor mhaith, go raibh maith agat. — *No, thank you.*

Foclóir

an tae	the tea	an anraith	the soup
an caife	the coffee	an fheoil	the meat
an bainne	the milk	na glasraí	the vegetables
an t-iasc	the fish	na torthaí	the fruit
an bradán	the salmon	an t-úll	the apple
an cháis	the cheese	an t-oráiste	the orange
an sicín	the chicken	na sméara	the berries
an mhilseog	the dessert	na préataí	the potatoes
an t-arán	the bread	an ubh	the egg
an t-im	the butter	na huibheacha	the eggs
an t-uisce	the water	fíon dearg	red wine
an t-uachtar	the cream	fíon geal	white wine
an subh	the jam		

2a. Ba mhaith liom gloine fíona! *I'd like a glass of wine.*

Ba here is the conditional of *is* and causes lenition.

Ba bhreá liom seacláid anois! *I'd like chocolate now.*

To ask a question with the conditional of the copula *ar* is placed before the adjective.

Ar mhaith leat caife?	*Would you like a coffee?*
Ba mhaith, le do thoil!	*Yes, please.*

The negative of *ba* is *níor. Níor* also causes lenition.

Ar mhaith leat bainne?	*Would you like milk?*
Níor m**h**aith. B'fhearr liom uisce.	*No. I'd prefer water.*

Where's the vowel gone?

You may recall when we learned the possessive adjectives that mo became *m'* before nouns beginning with a vowel/ *f-* + vowel. Something similar is happening here. Since *ba* lenites all adjectives beginning with a consonant it stands to reason that it would also lenite adjectives beginning with *f-* + vowel. The problem here is that now *fh* is silent and all the ear hears is a string of vowel sounds. So, if *fh-* is going to act like a vowel, we are going to treat it like a vowel in the spelling and replace the *a* of *ba* with an apostrophe, e.g. *B'fhearr liom uisce.*

2b. There is no indefinite article in Irish, i.e. **an** apple is *úll*, **a** rabbit is *coinín*, **a** kite is *eiteog*, and therefore no change is necessary. Some people find it challenging to remember the gender of a noun. In *Oideas Gael* we have found it helpful for learners to memorize the gender of a noun at the same time as learning the noun itself. With this in mind we have added the definite article, *an*, where possible, to each of the examples above.

Every noun In Irish is either masculine or feminine. Following the definite article, corresponding to *the* in English, feminine nouns beginning with b, c, f, g, m, p, s[5], are lenited; masculine nouns are not. Masculine nouns beginning with a vowel are preceded by *t* and a hyphen; feminine nouns remain as they are. Masculine nouns beginning with s- remain as they are; feminine nouns beginning with s-,[6] are preceded by *t.*

[5] Not those beginning with sc-, sl-, sm-, sp-, st-.
[6] Not those beginning with sc-, sl-, sm-, sp-, st-.

	Masculine	**Feminine**
Nouns beginning with a vowel	an t-arán *the bread*	an aghaidh *the face*
Nouns beginning with b, c, f, g, m	an fear *the man*	an bhean *the woman*
Nouns beginning with s	an sagart *the priest*	an tsúil *the eye*
Nouns beginning with d, l, n, r, t, sc, sm, sp, st	an doras *the door*	an lámh *the hand*

1. Cuir ceist ar dhuine eile an maith leo na rudaí seo.

(a) seacláid
(b) fíon geal
(c) caife Gaelach
(d) feoil
(e) uachtar
(f) glasraí
(g) iasc
(h) torthaí

2. Cuir ceisteanna nó freagraí leis na habairtí thíos.

(a) Ba mhaith liom.
(b) Is breá liom seacláid.
(c) Bainne te, le do thoil.
(d) Níor mhaith, go raibh maith agat. Tá mé lán.
(e) Ba bhreá liom glasraí.
(f) An bhfuil sin ceart go leor?

3. Cuir an t-alt, *an,* roimh na focail thíos agus athraigh iad más gá.

fear (m)	Gaeilge (f)	óstán (m)	carraig (f)	milseog (f)
bean (f)	Béarla (m)	oinniún (m)	ubh (f)	scoil (f)
abairt (f)	iasc (m)	feadóg (f)	póg (f)	amhrán (m)
ollscoil (f)	ábhar (m)	scuab (f)	fíon (m)	eagarthóir (m)
teach (m)	iarratas (m)	garda (m)	madadh (m)	leabhar (m)

Aonad 10

Cad é an post atá agat?
What is your job?

1a. ÉIST

Seán: Cad é an post atá agat, a Ghráinne?	*What is your job, Gráinne?*
Gráinne: Is damhsóir mé.	*I'm a dancer.*
Cad é an post atá agat féin?	*What is your job?*
Seán: Is ceoltóir mé.	*I'm a musician.*
Gráinne: Iontach deas!	*Very nice!*
An maith leat do phost?	*Do you like your job?*
Seán:: Is maith liom go mór é.	*I like it a lot.*
Is maith liom a bheith ag seinm ceoil agus casaim le daoine suimiúla achan lá.	*I like playing music and I meet interesting people every day.*
An maith leat do phostsa?	*Do you like your job?*
Gráinne: Braitheann sin ar na ceoltóirí!	*That depends on the musicians!*

Foclóir

an múinteoir	*the teacher*	an scoil	*the school*
an meicneoir	*the mechanic*	an garáiste	*the garage*
an dochtúir	*the doctor*	an otharlann	*the hospital*
an leabharlannaí	*the librarian*	an leabharlann	*the library*
an t-eolaí	*the scientist*	an tsaotharlann	*the laboratory*
an t-aisteoir	*the actor*	an amharclann	*the theatre*
an t-oibrí oifige	*the office worker*	an oifig	*the office*
an freastalaí	*the waiter/ waitress*	an bhialann	*the restaurant*
an bainisteoir	*the manager*	an banc	*the bank*
fear/ bean an tí	*a home-worker*	sa bhaile	*at home*

1b. ÉIST

Cíara: Cá bhfuil tú ag obair na laethanta seo, a Bhríd? — *Where are you working these days, Bríd?*

Bríd: Tá mé ag obair i scoil sa chathair. Agus tú féin? Cá bhfuil tusa ag obair? — *I work in a school in the city. And yourself? Where are you working?*

Cíara: Tá mé ag obair in oifig i nDoire. — *I work in an office in Derry.*

Bríd: An bhfuil post buan agat? — *Do you have a permanent job?*

Cíara: Níl ach post sealadach agam faoi láthair. — *I only have a temporary job at the moment.*

Foclóir

post buan	*permanent job*
sealadach	*temporary*
lánaimseartha	*full-time*
páirtaimseartha	*part-time*
fostaithe	*employed*
dífhostaithe	*unemployed*
ragobair	*overtime*
ag cuartú oibre	*looking for work*
pobal	*community*
suimiúil	*interesting*
leadránach	*boring*

ÉIST

Síle: Cad é an post atá agat, a Ghearóid?	*What is your job, Gearóid?*
Gearóid: Is freastalaí mé.	*I'm a waiter.*
Tá mé ag obair i mbialann go páirtaimseartha.	*I work part-time in a restaurant.*
Agus tú féin?	*And yourself?*
Síle: Is poitigéir mé agus	*I'm a pharmacist and*
tá mé ag obair sa phobal.	*I work in the community.*
Post lánaimseartha atá ann.	*It's a full-time job.*

1. Déan cur síos ar na daoine sna léaráidí thíos.

2. Cuir ceist nó freagra leis na habairtí thíos.

(a) Tá mé ag obair i leabharlann.
(b) Tá sé ceart go leor.
(c) Cá bhfuil tú ag obair, a Shíle?
(d) Is maith liom na daoine.
(e) Cá bhfuil an scríbhneoir?

3. Aistrigh na focail Béarla go Gaeilge.

(a) Is mise Ciarán. Is as Dún na nGall mé.
Is cócaire mé agus oibrím i mbialann i mBéal Feirste.
Is maith liom mo phost go mór.

....

....

....

(b) Is mise Laoise. Is as Doire mé.
Is rúnaí mé agus tá mé ag obair in oifig i Leitir Ceanainn.
Ní maith liom mo phost. Tá sé leadránach.

....

....

....

(c) Seo é Peadar. Is múinteoir é agus tá sé ag obair i mbunscoil i nGleann Cholm Cille. Tá post lánaimseartha aige agus is maith leis a phost go mór.

....

....

....

Aonad 11

An Teaghlach
The Family

ÉIST

1a. Gráinne: Cé atá i do theaghlach, a Sheáin?	*Who is in your family, Seán?*
Seán: Tá deirfiúr amháin agam, Kate is ainm di agus beirt dhearthaíreacha, Sam agus Ciarán.	*I have one sister, Kate is her name and two brothers, Sam and Ciarán.*
Gráinne: Níl ach deirfiúr amháin agamsa. Róisín is ainm di. Tá sí dhá bhliain déag d'aois. Réitíonn muid go maith le chéile.	*I only have one sister. Her name is Róisín. She's twelve. We get on well together.*
Seán: Is maith sin. Muidne fosta.	*That's good. Ourselves, too.*

- Cé atá i do theaghlach, a Rónáin? — *Who is in your family, Rónán?*
- Tá mo bhean chéile, Bríd, mo mhac, Fred, agus m'iníon, Eilís. — *There's my wife, Bríd, my son, Fred, and my daughter, Eilís.*

- Cé atá i do theaghlachsa, a Cháit? — *Who is in your family, Cáit?*
- Tá m'fhear céile, Somhairle, agus mo bheirt mhac, Iain agus Pól. — *There's my husband, Somhairle, and my two sons, Iain and Pól.*

Foclóir

an t-athair	***the father***
an mháthair	***the mother***
an gasúr	**the boy**
an ghirseach	**the girl**
an deartháir	***the brother***
an deirfiúr	***the sister***
an fear céile	***the husband***
an bhean chéile	***the wife***
an mac	***the son***
an iníon	***the daughter***
an t-uncail	***the uncle***
an aintín	***the aunt***
an t-athair mór	***the grandfather***
an mháthair mhór	***the grandmother***
na garpháistí	***the grandchildren***
an cara	***the friend***
na cairde	***the friends***
pósta le	***married to***
singil	***single***
ag siúl amach le	***going out with***
colscartha	***divorced***
scartha	***separated***

2a. ÉIST

- Is mise Síle. Is as Gleann mé. Tá deartháir amháin agus beirt dheirfiúracha agam. — *I'm Síle. I'm from Gleann. I have one brother and two sisters.*
- Tá mé ag siúl amach le Tim. — *I'm going out with Tim.*

Is mise Roy.	*I'm Roy.*
Is as Doire ó dhúchas mé.	*I'm originally from Derry.*
Tá mé pósta le Róise	*I'm married to Róise*
agus tá beirt pháistí againn:	*and we have two children:*
mac amháin agus iníon amháin.	*one son and one daughter.*
Tá muid inár gcónaí i	*We currently live in Sligo.*
Sligeach faoi láthair.	

Is mise Nadine. Is Albanach mé.	*I'm Nadine. I'm Scottish.*
Tá mé pósta le Francach	*I'm married to a French man*
agus tá muid inár gcónaí	*and we live*
in Éirinn anois.	*in Ireland now.*
Tá triúr deirfiúracha agamsa	*I have three sisters*
agus tá beirt dheartháireacha	*and my husband*
ag m'fhear céile.	*has two brothers.*
Tá iníon bheag	*We have a wee daughter,*
againn, Róisín is ainm di.	*her name is Róisín.*

Some people find numbers in Irish to be a wee bit tricky. Here we see that there are different forms used for counting people than are used ordinarily. HOWEVER, don't be put off! Beirt, which is followed by *séimhiú*, means *two people*, this is a bit like saying a pair or a couple. The others are more easily explained in that they are a combination of the ordinal numbers attached to the word *fear*, 'man.' Triúr corresponds to *trí + fhear*, *cúigear* corresponds to *cúig + fhear* and so on. Listen for these forms being used in Donegal with reference to things or animals as well as people.

These wee quirks make Irish INTERESTING

Foclóir

Uimhreacha Pearsanta	*Personal Numbers*
duine amháin	*one person*
beirt	*two people*
triúr	*three people*
ceathrar	*four people*
cúigear	*five people*
seisear	*six people*
seachtar	*seven people*
ochtar	*eight people*
naonúr	*nine people*
deichniúr	*ten people*

1. Cé atá i do theaghlachsa?

2. Líon isteach na bearnaí leis na focail sa bhocsa.

(a) Seo é m'athair. Seosamh is ainm ________.

(b) Sin í m'iníon ansin. Síle is ainm ________.

(c) Cá mhéad deartháir atá ________, a Mhuiris?

(d) Tá deartháir amháin agus beirt dheirfiúracha ________.

(e) Cé atá i ________ theaghlach?

(f) Seo iad na páistí. Cad é is ainm ________?

agam	**agat**	**daoibh**
dó	**do**	**di**

3. Déan cur síos ar an teaghlach thíos.

3. Is tusa Tomás/ Róisín. Cuir do theaghlach in aithne do dhuine eile sa rang!

....

....

....

....

....

....

....

....

....

....

....

....

Aonad 12

Mo Cheantar
My Area

1a. ÉIST

Gráinne: An maith leat a bheith	*Do you like*
i do chónaí i mBéal Feirste, a Sheáin?	*living in Belfast, Seán?*
Seán: Is breá liom é.	*I love it.*
An maith leat do cheantar féin?	*Do you like your own area?*
Gráinne: Is maith liom go mór é.	*I like it a lot.*
Tá go leor áiseanna	*There are a lot of facilities in*
sa cheantar.	*the area.*
Tá amharclann, pictiúrlann,	*There's a theatre, a cinema,*
iarsmalann agus	*a museum and*
leabharlann mhaith ann.	*a good library.*
Cad iad na háiseanna atá i do	*What are the facilities*
cheantarsa, a Sheáin?	*in your area, Seán?*
Seán: Bhal, tá teach tábhairne agus	*Well, there's a pub and*
páirc pheile ann.	*a football pitch.*
Tá mise sásta leis!	*I'm happy with it!*
Gráinne: A Sheáin, ar mhaith leat dul	*Seán, would you like to go*
chuig an phictiúrlann oíche ínteacht?	*to the cinema some night?*
Seán: Ba mhaith.	*I would.*

Foclóir

an ceantar	*the area*
an chathair	*the city*
an baile	*the town*
an sráidbhaile	*the village*
faoin tuath	*in the countryside*
cois farraige	*by the sea*
bunadh an cheantair	*the people of the area*
na háiseanna	*the facilities*
an eaglais	*the church*
an siopa	*the shop*
an t-ollmhargadh	*the supermarket*
an banc	*the bank*
oifig an phoist	*the post office*
an teach tábhairne	*the pub*
an amharclann	*the theatre*
an leabharlann	*the library*
an bhialann	*the restaurant*
an phictiúrlann	*the cinema*
an tsólann	*the leisure centre*
an otharlann	*the hospital*
stáisiún traenach	*train station*
a bheith	*to be*
bhal	*well*
ínteacht	*some*
féin	*own/ self*

2a. Treoracha *Directions*

ÉIST

- Cá bhfuil an amharclann, le do thoil?	*Where's the theatre, please?*
- Gabh síos an bóthar seo agus tiontaigh ar dheis.	*Go down this road and turn right.*
Gabh díreach ar aghaidh ar feadh cúig bhomaite.	*Continue on straight for five minutes.*
Tá an amharclann ar an choirnéal.	*The theatre is on the corner.*

- Cá bhfuil an leabharlann, le do thoil?	*Where is the library, please?*
- Gabh síos an bóthar seo	*Go down this road*
agus ansin tiontaigh ar dheis.	*and then turn right.*
Tá siopa ar an choirnéal	*There's a shop at the corner*
agus tá an leabharlann in aice leis.	*and the library is beside it.*

In giving directions in Irish the words we use for *up* and *down* change according to how we use them. So, if we want to say 'I am going up,' we say, *Tá mé ag dul **s**uas.* If we want to say, 'I am up,' we say, *Tá mé **th**uas.* 'I am coming down,' is *Tá mé ag teacht **an**uas.*

In the same way, 'He is going down,' becomes, *Tá sé ag dul **s**íos*; 'He is down' becomes, *Tá sé **th**íos.* 'He is coming up,' is *Tá sé ag teacht **an**íos.*

Foclóir

suas	*up*
síos	*down*
in aice le	*beside*
taobh thiar de	*behind*
trasna ón	*across from*
tiontaigh	*turn*
gabh	*go*
siúil	*walk*
gar do	*near*
an bóthar	*the road*
an tsráid	*the street*
an coirnéal	*the corner*
ar feadh	*for/ during*

1. Cad iad na háiseanna atá i do cheantar?

2. Bí ag obair leis an duine in aice leat agus cuir ceist air/ uirthi cá bhfuil na háiteanna a leanas.

(a) an amharclann
(b) an scoil
(c) oifig an phoist
(d) an iarsmalann
(e) an siopa
(f) an trá
(g) an bhialann

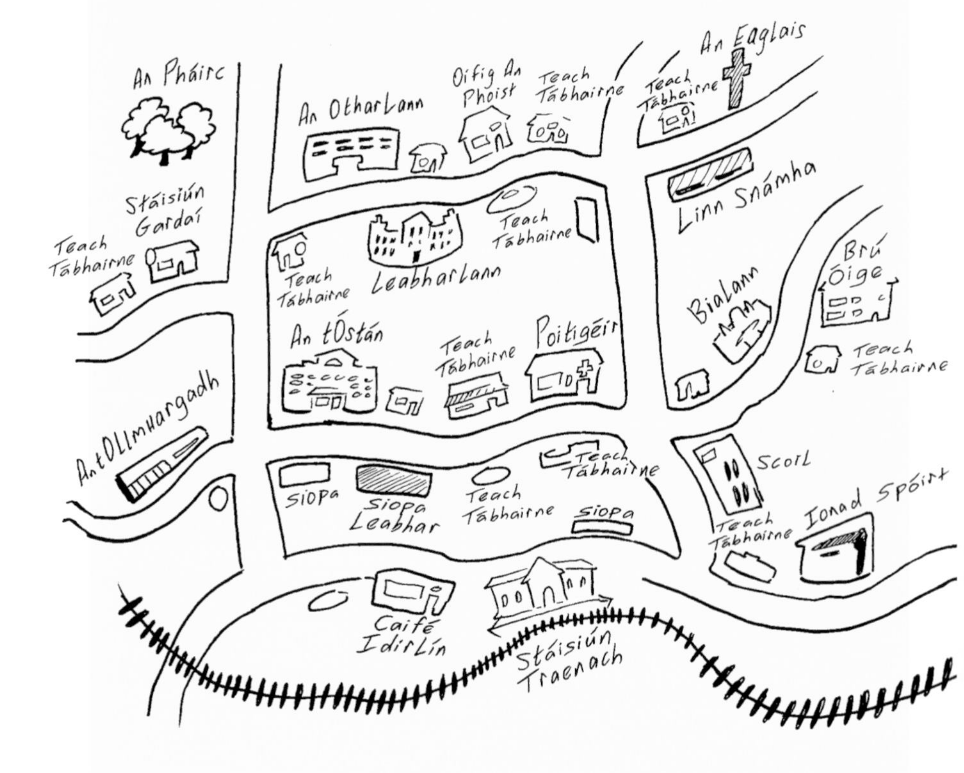

Aonad 13

An Briathar

The Verb

1.	**Amharc!**	*Look!*
	Bog siar!	*Move over!*
	Cuir ort do chóta!	*Put on your coat!*
	Druid an doras!	*Close the door!*
ÉIST	**Éist liom bomaite!**	*Listen to me [for] a minute!*
	Fág an seomra!	*Leave the room!*
	Glan an tábla!	*Clean the table!*
	Las an solas!	*Turn on the light!*
	Seas suas!	*Stand up!*
	Suigh síos!	*Sit down!*
	Léim thart!	*Jump around!*
	Déan an ceacht sin anois!	*Do that lesson now!*

There are five groups (conjugations) of verbs in Irish. The following is a list of verbs which belong to the first group.

Foclóir

amharc	*look*	tóg	*take*
bog	*move*	cuir	*put*
fág	*leave*	druid	*close*
glan	*clean*	éist	*listen*
íoc	*pay*	caith	*throw/ wear/ spend*
las	*light*		
measc	*mix*	léim	*jump*
seas	*stand*	lig	*let*

1.

This is the imperative mood. If you want to order **one** person to do something in particular this is the form you use.

If you want to order more than one person to do something in particular add the ending – *aigí* or –*igí* to the root of the verb. Here's the rule!

If the last **vowel** in the verb is broad, *leathan*, (a, o, u), –*aigí* is added to the end of the root.

bogaigí	*move*
glanaigí	*clean*
lasaigí	*light*
seasaigí	*stand*

If the last **vowel** in the verb is slender, *caol*, (i, e), –*igí* is added to the end of the root.

cuirigí	*put*
druidigí	*close*
éistigí	*listen*
léimigí	*jump*

If you are ordering a person / people **not** to do something in particular, place ***ná*** before the verb.

Ná **glan an teach!**	*Don't clean the house!*
Ná **can, le do thoil!**	*Don't sing, please!*
Ná **léimigí thart!**	*Don't jump around!*
Ná **seasaigí!**	*Don't stand!*

If the verb begins with a vowel, *h* is prefixed to the beginning of the verb.

Ná h**ól sin!**	*Don't drink that!*
Ná h**ithigí spaghetti!**	*Don't eat spaghetti.*

2. Let's take a look at the second group of verbs now. You will notice that there are two syllables in the root of each verb, the second being *-igh.*

Once again, if you want to order **one** person to do something in particular this is the form you use.

Ceannaigh deoch domh!	*Buy me a drink!*
Brostaigh ort!	*Hurry up!*
Imigh leat!	*Away with you!*
Ísligh an seol!	*Lower the sail!*

In this group of verbs, when ordering more than one person to do a particular action, the *séimhiú* at the end of the verb root is replaced by an *í* and the imperative form ends in *-ígí.*

Try this with other learners and see what happens! ***Bain triail as!***

Foclóir			
ceannaigh	*buy*	fáiltigh	*welcome*
admhaigh	*admit*	imigh	*leave*
brostaigh	*hurry*	maisigh	*decorate*
ceartaigh	*correct*	smaoinigh	*think*
diúltaigh	*refuse*	samhlaigh	*imagine*
bailigh	*collect/ gather*	ísligh	*lower*
cuimhnigh	*remember*	foilsigh	*publish*

Ceartaígí na freagraí! *Correct the answers!*
Íslígí bhur gcinn! *Lower your heads!*
Ceannaígí caife! *Buy coffee!*
Imígí libh! *Off you go!*

Ardaígí bhur bpinn! *Raise your (pl.) pens!*
Imígí libh! *Off you (pl.) go!*
Bailígí na leabharthaí! *Collect the books!*

If you are ordering a person / people **not** to do something in particular, place ***ná*** before the verb.
Ná **foilsigh sin!** *Don't publish that!*
Ná **ceannaígí an fíon sin!** *Don't buy that wine!*

If the verb begins with a vowel, place a *h* before the verb. This is an initial change, similar to *séimhiú*, which follows **ná.**
Ná h**imigh go fóill!** *Don't leave yet!*
Ná h**admhaígí é... choíche!** *Don't admit it...ever!*

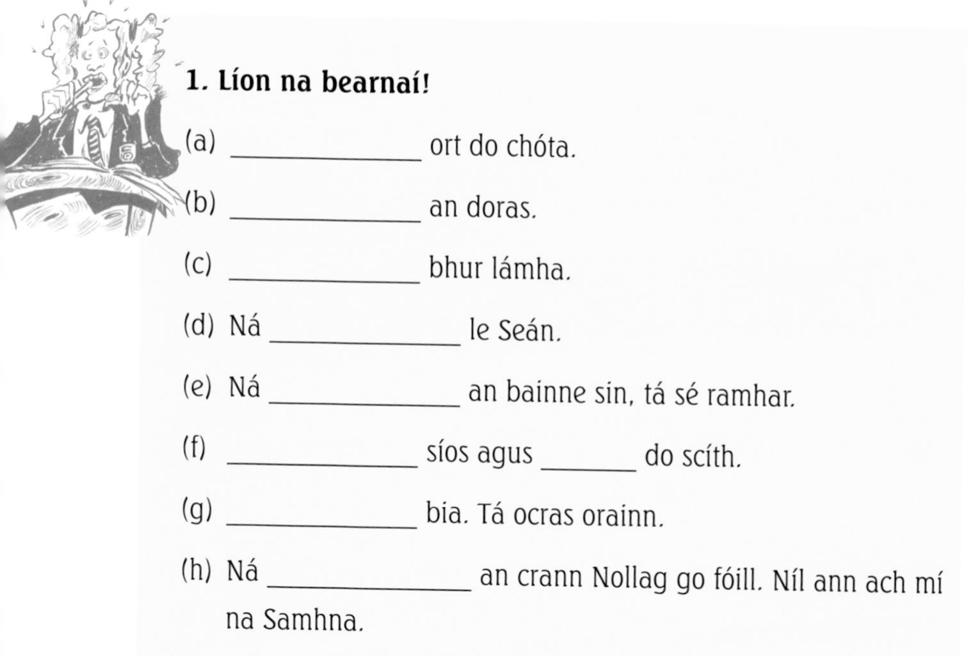

1. Líon na bearnaí!

(a) ______________ ort do chóta.

(b) ______________ an doras.

(c) ______________ bhur lámha.

(d) Ná ______________ le Seán.

(e) Ná ______________ an bainne sin, tá sé ramhar.

(f) ______________ síos agus _______ do scíth.

(g) ______________ bia. Tá ocras orainn.

(h) Ná ______________ an crann Nollag go fóill. Níl ann ach mí na Samhna.

(i) Ná ______________ an fhuinneog, tá sé rófhuar.

(j) ______________ díot do bhróga.

ceannaígí bac cuir bain ardaígí lig
druidígí maisígí suigh hoscail hól

Aonad 14

Ag Cur Síos ar Dhaoine
Describing People

1a.	**Tá gruaig dhonn agamsa.**	*I have brown hair.*
ÉIST	**Tá gruaig fhionn agamsa.**	*I have blond hair.*
	Tá gruaig fhada, dhubh, chatach agamsa.	*I have long, black, curly hair.*
	Tá gruaig rua agamsa.	*I have red hair.*
	Tá srón bheag agus béal mór agamsa.	*I have a small nose and a big mouth.*
	Tá cosa fada agamsa.	*I have long legs.*
	Tá lámha móra agamsa.	*I have big hands.*
	Tá Jim láidir.	*Jim is strong.*
	Tá Fionnuala lag.	*Fionnuala is weak.*

1a.

An adjective must agree with the noun to which it is connected according to case, gender and whether it is singular or plural. So, you need to know the gender of a noun before you add the adjective.

In the singular it's quite simple. If the noun is masculine the adjective remains as it is. If the noun is feminine then a séimhiú is added, if possible. The initial of adjectives beginning with vowels remain unchanged.

Foclóir

ard	**tall**	**láidir**	**strong**	**bodhar**	**deaf**
tanaí	**thin**	**lag**	**week**	**dall**	**blind**
ramhar	**fat**	**ciúin**	**quiet**	**nua/ úr**	**new**
óg	**young**	**bocht**	**poor**	**confach**	**irritable**
aosta	**old**	**saibhir**	**rich**	**leisciúil**	**lazy**
beag	**small**	**dathúil**	**pretty**	**glic**	**shrewd**
mór	**big**	**sean**	**old**		

Foclóir

Dathanna	*Colours*		
dearg	*red*	glas	*green*
dubh	*black*	liath	*grey*
donn	*brown*	oráiste	*orange*
gorm	*blue*	bán	*white*
fionn	*blond*	dorcha	*dark*
geal	*bright*	rua	*red (hair)*

Ainmfhocal Uatha agus Aidiacht

	Firinscneach Uatha	**Baininscneach Uatha**
Aidiachtaí a thosaíonn ar b, c, d, f, g, m, p, s, t	an t-arán bán	an aghaidh gheal
Aidiachtaí a thosaíonn ar ghuta	an fear ard	an bhean óg
Aidiachtaí a thosaíonn ar l, n, r, sc, sm, sp, st	an doras nua	an lamh láidir

1b. An- agus Ró-

Remember, consonants are lenited following *an-* 'very' with the exception of d, n, t, l, s; vowels remain unaffected.

beag ➛ an-bheag
maith ➛ an-mhaith
deas ➛ an-deas
te ➛ an-te
íseal ➛ an-íseal
óg ➛ an-óg

Consonants following *ró-*, 'very' are lenited; vowels remain unaffected but are preceded by a hyphen.

beag	➛	róbheag
maith	➛	rómhaith
deas	➛	ródheas
te	➛	róthe
íseal	➛	ró-íseal

1. Cuir an- agus ró- roimh na haidiachtaí thíos agus athraigh iad dá réir:

(a) álainn
(b) ramhar
(c) tanaí
(d) ciúin
(e) glic
(f) beag
(g) deas
(h) te
(i) sean
(j) óg
(k) suimiúil
(l) aosta
(m) confach
(n) dathúil

2. Líon na bearnaí!

(a) Tá gruaig __________ ag Síle.

(b) Tá gaoth __________ againn inniu, nach bhfuil?

(c) Tá gúna __________agus hata __________ar Aisling.

(d) 'Tá do bhéal ró__________!'

(e) Tá an ceol sin an-__________, nach bhfuil.

(f) 'Oíche __________, a chairde!'

dearg	**bhinn**	**dhubh**	**láidir**
mhaith	**bán**	**mhór**	

3. Cuir an t-alt *an* roimh na focail thíos agus athraigh iad más gá.

ábhar *(m)* (iontach)	focal *(m)* (binn)	leabhar *(m)* (suimiúil)	ceolchoirm *(f)* (breá)	bean *(f)* (fiosrach)
bóthar *(m)* (deas)	duine *(m)* (bocht)	oíche *(f)* (fuar)	sráidbhaile *(m)* (glan)	amhrán *(m)* (fada)
bialann *(f)* (maith)	cailín *(m)* (borb)	múinteoir *(m)* (codlatach)	ceann *(m)* (maol)	áit (f) (lárnach)
garda *(m)* (tuisceanach)	cos *(f)* (nimhneach)	feadóg *(f)* (binn)	amhrán *(m)* (Gaelach)	bialann (f) (maith)
scrúdú *(m)* (deacair)	teach *(m)* (ban)	leabharlann *(f)* (galánta)	crann *(f)* (glas)	ceoltóir *(m)* (cliste)

4. Déan cur síos ar na daoine thíos.

....

....

....

....

....

....

....

....

....

....

....

....

Aonad 15

Céimeanna Comparáide na hAidiachta

Comparative Adjectives

Tá an bád *níos mó ná* **an carr.** *The boat is bigger than the car.*

In comparing nouns with each other, such as 'nic*er*, sweet*er*, wett*er*', in Irish we use *níos* **+ a special form of the adjective followed by** *ná* **'than'.**

Tá an luchóg *níos gaiste ná* **an cat.**
The mouse is quicker than the cat.

For the superlative form 'nic*est*, sweet*est*, wett*est*' we use *is* **+ the special form of the adjective.**

Seo an teach *is aistí* **ariamh!** *This is the strangest house ever!*

ÉIST

"Is tusa an bhean is dathúla sa rang, a Ghráinne!" *"You're the prettiest girl in the class, Gráinne!"*

Following *níos* **and** *is...*		
Other adjectives are slenderized and -e is added to the ending.	glas gorm	níos glaise/ is glaise níos goirme/ is goirme
Adjectives ending in... **-ach ➤ -aí** **-each ➤ -í** **-air ➤ -ra** **-úil ➤ -úla**	 aisteach uaigneach deacair (+ elision of syll.) dathúil	 níos aistí/ is aistí níos uaigní/ is uaigní níos deacra/ is deacra níos dathúla/ is dathúla

Adjectives which use other forms include:

álainn – níos/ is áille
beag – níos lú/ is lú
fada – níos faide/ is faide
fliuch – níos fliche/ is fliche
furasta – níos fusa/ is fusa
maith – níos fearr/ is fearr
mór – níos mó/ is mó
ramhar – níos raimhre/ is raimhre
saibhir – níos saibhre/ is saibhre

1. Athraigh na focail idir lúibíní!

(a) Tá an cleachtadh seo níos (furasta) ná na cinn eile.

(b) Tá an fharraige níos (gorm) inniu.

(c) Tá Gráinne níos (dathúil) ná Seán.

(d) Tá an aimsir níos (maith) inniu, nach bhfuil?

(e) Tá mé níos (leisciúil) ná duine ar bith eile.

(f) Tá an seomra seo níos (beag) ná an ceann eile.

(g) Seo an briosca is (crua) ar domhan.

(h) Tá Máire níos (cáiliúil) ná Séamas.

(i) Tá mé níos (álainn) anois, nach bhfuil?

(j) Tá na bróga is (glas) sa pharóiste aici.

Aonad 16

Do Chaitheamh Aimsire
Your Pastime

1a. ÉIST

Seán: An imríonn tú spórt ar bith, a Ghráinne?	*Do you play any sports, Gráinne?*
Gráinne: Go cinnte. Imrím cispheil agus téim ag rith ag an deireadh seachtaine.	*Of course. I play basketball and I go running at the weekend.*
Seán: Imrím galf mé féin agus is maith liom a bheith ag snámh san fharraige.	*I play golf myself and I like swimming in the sea.*
Gráinne: An bhfuil caitheamh aimsire ar bith eile agat?	*Do you have any other pastime?*
Seán: Is maith liom a bheith ag éisteacht le ceol agus ag léamh.	*I love listening to music* and reading.
Gráinne: Is maith liomsa a bheith ag léamh fosta. Cad é a léann tú?	*I like reading too. What do you read?*
Seán: Úrscéalta agus leabharthaí staire.	*Novels and history books.*

Foclóir			
spórt	*sport*	haca oighir	*ice hockey*
peil	*football*	iomáint	*hurling*
cispheil	*basketball*	cártaí	*cards*
eitpheil	*volleyball*	úrscéal	*novel*
liathróid láimhe	*handball*	stair	*history*
rugbaí	*rugby*	ar bith	*any*
leadóg	*tennis*	cad chuige?	*why?*
galf	*golf*	téim	*I go*
haca	*hockey*	aclaí	*fit*

2a. ÉIST

- Cad é an caitheamh aimsire atá agatsa, a Phádraig?	*What pastime do you have, Pádraig?*
- Is maith liom a bheith ag éisteacht le ceol agus is breá liom a bheith ag damhsa.	*I like listening to music and I love dancing.*
- Cad é fút féin?	*What about yourself?*
- Is maith liom a bheith ag snámh, agus ag rith. Imrím peil fosta.	*I like swimming and running. I play football too.*
- Is duine an-aclaí tú mar sin.	*You're very fit, then.*
- Do dhálta féin!	*Like yourself!*

Is maith liomsa a bheith ag siopadóireacht!	*I like shopping!*
Is maith liomsa a bheith ag snámh.	*I like swimming.*
Is maith liomsa mo scíth a ligean!	*I like resting myself!*

A bheith, **to be**, always precedes a verbal noun (doing, reading, swimming, etc.) when used this context.

Is maith liom **a bheith** ag léamh.	*I like reading* (*lit.* I like **to be** reading).
An maith leat **a bheith** ag damhsa?	*Do you like dancing?*
Ní maith liom **a bheith** ag scríobh.	*I don't like writing.*

Foclóir

ag éisteacht	*listening*	ag dul	*going*
ag ól	*drinking*	ag déanamh	*doing*
ag foghlaim	*learning*	ag amharc	*looking*
ag snámh	*swimming*	ag taisteal	*travelling*
ag caint	*talking*	ag léamh	*reading*
ag rith	*running*	ag ceol	*singing*
ag siúl	*walking*	ag obair	*working*
ag damhsa	*dancing*	ag cócaireacht	*cooking*
ag léamh	*reading*	ag castáil le daoine	*meeting people*

Tá suim agam	*I'm interested*
Tá dúil agam	*I enjoy*
Níl suim ar bith agam	*I have no interest at all*
do dhálta féin	*like yourself*
cúrsaí reatha	*current affairs*
polaitíocht	*politics*
litríocht	*literature*
stair	*history*

2a.

An maith leatsa **a bheith** ag obair? *Do you like working?*
Is fuath liom **a bheith** ag obair. *I hate working.*

ACH	**BUT**
Is maith liom caife.	*I like coffee.*
Ní maith liom an fiaclóir.	*I don't like the dentist.*

2b. The preposition *le*, 'with,' is used in conjunction with *ag éisteacht*, 'listening (to),' and with *ag caint*, 'talking (to).'

Is maith liom a bheith ag éisteacht **le** ceol.	*I like listening to music.*
Is aoibhinn liom a bheith ag caint **le**at!	*I love chatting to you!*

The preposition *ar*, 'on,' is used in conjunction with *ag amharc, ag féachaint, ag breathnú*, all meaning 'watching/ looking (at)'.

B'fhearr liomsa a bheith ag amharc **ar** an teilifís.	*I would prefer watching television.*

In the case of certain subjects the definite article is generally used, e.g. *an pholaitíocht, an ceol, an ghramadach.*

Tá suim agam sa pholaitíocht.	*I'm interested in politics.*

1. Aistrigh go Béarla:

Is mise Anna Ní Néill. Is as Ard Mhacha mé. Tá mé ocht mbliana déag d'aois. Is mac léinn mé agus is maith liom a bheith ag snámh, ag léamh agus ag scríobh. Níl suim ar bith agam i gcúrsaí reatha.

Is mise Ciarán Ó Gallchóir. Is as Leitir Ceanainn mé ó dhúchas ach tá mé i mo chónaí i Sligeach faoi láthair. Feirmeoir atá ionam agus tá suim agam i bpeil agus i gcispheil. Is maith liom a bheith ag éisteacht le ceol agus ag siúl sna sléibhte.

Is mise Anna Nic an Ghoill. Is as Béal Feirste ó dhúchas mé ach tá mé i mo chónaí le m'fhear céile agus mo mhac i nDún na nGall anois. Is maith liom an ceantar go mór. Ceoltóir atá ionam. Tá suim agam sa pholaitíocht agus is breá liom a bheith ag ithe, ag ól agus ag damhsa!

....

....

....

....

....

....

....

....

....

....

....

....

....

....

....

....

....

....

2. Cad é an caitheamh aimsire atá ag an fhear thíos.

....

....

....

....

....

....

....

....

....

....

....

....

....

Aonad 17

An Aimsir Láithreach
The Present Tense

1a. In this unit we look at the present tense of the irregular verbs as well as verbs in the first and second conjugations.

ÉIST

Gráinne: Cad é a dhéanann tú	*What do you do at the*
ag an deireadh seachtaine, a Sheáin?	*weekend, Seán?*
Seán: Amharcaim ar an teilifís	*I watch TV*
agus casaim le cairde.	*and I meet friends.*
Cad é fút féin?	*What about yourself?*
Gráinne: Téim ag snámh	*I go swimming*
agus téim amach ansin	*and then I go out*
le mo chairde oíche Shathairn.	*with my friends Saturday night.*
Seán: Cá dtéann tú?	*Where do you go?*
Gráinne: Nuair a bhím i nGleann	*When I'm in Gleann Cholm Cille*
téim go teach Bhiddy.	*I go to Biddy's*
	[lit. 'Biddy's house'].

1a.

Irish has no more than eleven irregular verbs and a number of these are only irregular in one or two tenses. As with most languages, however, the verbs most commonly used are the irregular ones. There's no way out. If you intend holding a conversation in Irish you'll have to learn them.

Below is a list of the irregular verbs in the present tense with questions and answers.

Abair	*say*	An ndeir tú?	Deirim / Ní deirim
Beir	*catch / give birth to*	An mbeireann tú?	Beirim / Ní bheirim
Bí	*be*	An bhfuil tú?	Tá/ Níl
Cluin	*hear*	An gcluineann tú?	Cluinim / Ní chluinim
Déan	*do/make*	An ndéanann tú?	Déanaim / Ní dhéanaim
Faigh	*get*	An bhfaigheann tú?	Faighim / Ní fhaighim
Feic	*see*	An bhfeiceann tú?	Tchím/ Ní fheicim
Ith	*eat*	An itheann tú?	Ithim / Ní ithim
Tabhair	*give*	An dtugann tú?	Tugaim / Ní thugaim
Tar	*come*	An dtigeann tú?	Tigim / Ní thigim
Téigh	*go*	An dtéann tú?	Téim / Ní théim

And now for some regular verbs!

Foclóir

rith	*run*	measc	*mix*
léim	*jump*	cum	*compose*
seas	*stand*	pioc	*pick*
tit	*fall*	scríobh	*write*
siúil	*walk*	tóg	*take*
líon	*fill*	tomhais	*guess*
ól	*drink*	íoc	*pay*
cluin	*hear*	síl	*think*

1b.

If the last **vowel** in the root of the verb is broad, (a, o, u), *–ann* is added to the end of the root.
If the last **vowel** in the root of the verb is slender, (i, e), *–eann* is added to the end of the root.

Verb +
-ann + noun/ pronoun
(e.g. ólann Seán/ sé)
-eann + noun, pronoun
(e.g. éisteann Máire/ sí)

Question: verb preceded by *an* + urú
Negative: verb preceded by *ní* + séimhiú

In Ulster Irish, these endings apply to all persons with the exception of the first person singular which is simply *–aim, -im*, e.g. *ólaim, ithim*, etc.

An, precedes questions in the present tense and eclipses all verbs beginning with b, c, d, f, g, p, t

An gcaitheann tú toitíní? *Do you smoke cigarettes?*

Verbs beginning with a vowel are not affected.

An ólann tú fíon dearg?
Do you drink red wine?

Ní, the negative particle, precedes all verbs in the present tense and all verbs beginning with b, c, d, f, g, m, p, s[7], t are lenited *(séimhiú)*.

Ní thuigim focal. *I don't understand a word.*

Verbs beginning with a vowel are not affected.

Ní éisteann Seán choíche.
Seán never listens.

There is no single word for *yes* or *no* in Irish. A verb is repeated in the affirmative or in the negative to express agreement or disagreement. Have a look at the examples below.

Druid
An ndruideann tú an doras achan oíche? — *Do you close the door every night?*
Druideann/ Ní dhruideann. — *Yes/ No.*

Caith
An gcaitheann Síle an cumhrán *Angel*? — *Does Síle wear the perfume* Angel?
Caitheann/ Ní chaitheann. — *Yes/ No.*

Fág
An bhfágann Iain an teach ag a hocht? — *Does Iain leave the house at eight?*
Fágann/ Ní fhágann. — *Yes/ No.*

Éist
An éisteann tú le ceol tíre? — *Do you listen to country music?*
Éisteann/ Ní éisteann. — *Yes/ No.*

Ith
An itheann Seán glasraí? — *Does Seán eat vegetables?*
Itheann/ Ní itheann. — *Yes/ No.*

[7] Sc,sp, st, sm are not lenited.

2. An Dara Réimniú
The Second Conjugation

- Cad é a dhéanann tú ag an deireadh seachtaine?	*What do you do at the weekend?*
- Éirím go mall, ceannaím na nuachtáin, breathnaím ar scannáin agus sin é!	*I get up late, I buy the papers, I look at films and that's it!*
- Cad é a dhéanann tú achan tráthnóna?	*What do you do every evening?*
- Bailím na páistí agus éalaíonn siadsan ansin.	*I collect the children and then they escape.*

Most second conjugation verbs end with *–igh*. In the present tense the *–igh* at the end of the verb becomes an *í* and *onn* is added to this. A noun/ pronoun follows.

Verb +
-aíonn + noun/ pronoun
(e.g. éalaíonn na páistí)
-íonn + noun, pronoun
(e.g. ceistíonn na gardaí)

Question: verb preceded by *an* + urú
Negative: verb preceded by *ní* + séimhiú

In Donegal these endings apply to all persons with the exception of the first person singular which is simply *ím*, e.g. *ceannaím, bailím*, etc.

The same rules apply to the second conjugation in relation to eclipsis and lenition.

Amharc ar na samplaí thíos.

Ceannaigh

An gceannaíonn Seán an nuachtán?	*Does Seán buy the newspaper?*
Ceannaíonn / Ní cheannaíonn.	*Yes/ No.*

Bailigh

An mbailíonn Laoise na páistí ón scoil?	*Does Laoise collect the children from school?*
Bailíonn / Ní bhailíonn.	*Yes/ No.*

Admhaigh

An admhaíonn tú an fhírinne choíche?	Do you ever admit the truth?
Admhaím / Ní admhaím.	Yes/ No.

Foclóir

ceannaigh	*buy*	deonaigh	*volunteer*
dathaigh	*colour*	beannaigh	*bless*
deifrigh	*hurry*	cothaigh	*nurture*
éirigh	*rise*	ceartaigh	*correct*
réitigh	*sort out*	ciúnaigh	*quieten*
ceistigh	*question*	fáiltigh	*welcome*
diúltaigh	*refuse*	moilligh	*slow*
éalaigh	*escape*	ramhraigh	*fatten*
bailigh	*collect*	admhaigh	*admit*

1, Scríobh liosta gairid de na rudaí a dhéanann tú achan lá.

2. Déan iarracht freagra dearfach agus freagra diúltach a thabhairt ar achan cheann de na ceisteanna thíos.

Mar shampla:

An dtéann tú amach ag an deireadh seachtaine?

Téim/ Ní théim.

(a) An bhfeiceann tú Séamus?
(b) An éiríonn Máire go luath ar maidin?
(c) An mbaineann tú na bláthanna?
(d) An mbíonn tú ag obair sa bhialann go minic?
(e) An bhfuil focal Gaeilge aici?
(f) An gcluineann tú ceol?
(g) An síleann tú go bhfuil sé seo leadránach?
(h) An itheann sé arán?
(i) An ólann sí bainne?
(j) An gcaitheann tú tobac?
(k) An dtéann tú ag snámh?
(l) An ndúnann sibh an doras?
(m) An osclaíonn siad an fhuinneog?
(n) An gcumann sibh ceol?
(o) An gcuireann siad an madadh amach gach oíche?
(p) An nglanann siad an teach?
(q) An bpógann Gráinne Seán?
(r) An bhfeiceann tú sin!
(s) An gcasann siad le chéile go minic?

3. Cum scéal bunaithe ar na léaráidí.

Dé Luain

Dé Máirt

Dé Céadaoin

Déardaoin

Dé hAoine

Dé Sathairn

Dé Domhnaigh

Aonad 18

An Aimsir Chaite
The Past Tense

1a. ÉIST

Seán: An raibh tú amuigh aréir, a Ghráinne?	*Were you out last night, Gráinne?*
Gráinne: Bhí. Chuaigh muid go dtí an teach tábhairne ar feadh uair a chloig.	*Yes. We went to the pub for an hour.*
Seán: An raibh ceol ar bith ann?	*Was there any music?*
Gráinne: Bhí, leoga! Bhí Mairéad agus Liam ag seinm. An ndeachaigh sibhse amach?	*There certainly was, Mairéad and Liam were playing. Did you go out?*
Seán: Chuaigh mé go teach Bhiddy ach ní fhaca mé tú.	*I went to Biddy's but I didn't see you.*
Gráinne: Bhí mé ansin go dtí a deich ach ansin d'imigh muid linn go teach Roarty.	*I was there until ten but then we went to Roarty's.*
Seán: Chaill mé tú arís!	*I missed you again!*

1a.

We mentioned earlier that Irish has only eleven irregular verbs. As with the present tense, the irregular verbs are again among those most commonly used in the past tense. Below is a list of the past tenses of these verbs:

Abair	*say*	Ar dhúirt tú?	Dúirt/ Níor dhúirt
Beir	*catch/ give birth to*	Ar rug tú?	Rug/ Níor rug
Bí	be	An raibh tú?	Bhí/ Ní raibh
Cluin	hear	Ar chuala tú?	Chuala/ Níor chuala
Déan	do/make	An ndearna tú?	Rinne/ Ní dhearna
Faigh	get	An bhfuair tú?	Fuair/ Ní bhfuair
Feic	see	An bhfaca tú?	Chonaic/ Ní fhaca
Ith	eat	Ar ith tú?	D'ith/ Níor ith
Tabhair	*give*	Ar thug tú?	Thug/ Níor thug
Tar	come	Ar tháinig tú?	Tháinig/ Níor tháinig.
Téigh	go	An ndeachaigh tú?	Chuaigh/ Ní dheachaigh

1b.

ÉIST

- An raibh sibh ar laethanta saoire i mbliana, Anna?	*Were you on holidays this year, Anna?*
- Bhí. Bhí muid sa Ghearmáin mí na Bealtaine.	*Yes. We were in Germany in May.*
- Ar bhain sibh sult as?	*Did you enjoy it?*
- Bhain. Shiúil muid sna sléibhte.	*Yes. We walked in the mountains.*
Chas muid le daoine cairdiúla.	*We met friendly people.*
D'ith muid agus d'ól muid agus lig muid ár scíth.	*We ate and we drank and we rested.*
Bhí sé thar barr.	*It was excellent.*
- Ar fhan sibh i bhfad ann?	*Did you stay there long?*
- D'fhan muid seachtain ann.	*We stayed a week there.*

1b.

The past tense is the easiest tense to learn in Irish. Let's take a look at how it works with regular verbs.

If the verb beings with b, c, d, f, g, m, p, s,[8] t its first consonant is lenited.

Bhog Áine an leabhar.	*Áine moved the book.*
Ghlan Ciarán an teach.	*Ciarán cleaned the house.*
Mhaisigh na páistí an crann.	*The children decorated the tree.*
Bhailigh Sadhbh na bláthanna.	*Sadhbh collected the flowers.*

[8] Sc,sp, st, sm are not lenited

If the verb beings with a vowel, a *d'* is placed in front of the verb, e.g.

D'oscail mé an fhuinneog.	*I opened the window.*
D'éist siad le ceol.	*They listened to music.*
D'eagraigh Iain an ócáid.	*Iain organised the event.*

Verbs beginning in *f* + vowel are lenited and prefixed with *d'* :

D'fhan mé sa bhaile aréir.	*I stayed at home last night.*
D'fhoilsigh Oideas Gael an leabhar.	*Oideas Gael published the book.*

Foclóir

suigh	*sit*	bailigh	*collect*
ól	*drink*	ceannaigh	*buy*
tit	*fall*	maisigh	*decorate*
béic	*shout*	cóirigh	*tidy*
cum	*compose*	tiontaigh	*turn*
léigh	*read*	admhaigh	*admit*
goid	*steal*	brostaigh	*hurry*
caill	*lose*	litrigh	*spell*
séid	*blow*	éirigh	*rise*
siúil	*walk*	damhsaigh	*dance*
nigh	*wash*	cuidigh	*help*
oscail	*open*	tosaigh	*begin*
luigh	*lie*	oibrigh	*work*
fan	*wait*	foilsigh	*publish*
scuab	*brush*	tréig	*abandon*
leoga	*indeed*	síob	*a lift*
i bhfad	*long*	cuairteoir	*a visitor*

1c. ÉIST

- Ar shiúil sibhse abhaile aréir?	*Did you walk home last night?*
- Níor shiúil. Thug Treasa síob dúinn.	*No. Treasa gave us a lift.*
- Ar fhan sibh i bhfad amuigh?	*Did you stay out long?*
- Níor fhan. Bhí muid sa bhaile ag a dó dhéag.	*No. We were home at twelve.*

1c.

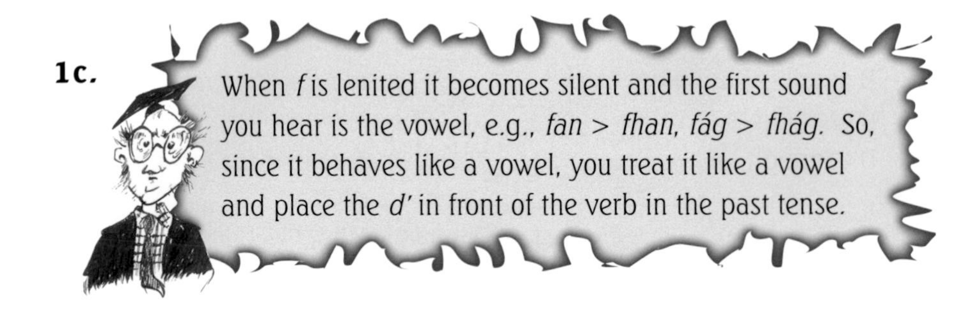

When posing a question in the past tense *ar* is placed before the verb. In negating the verb in the past tense *níor* is placed before the verb. The *séimhiú* remains.

Ar b**h**og Áine an leabhar?	*Did Áine move the book?*
Bhog/ Níor bhog.	*Yes/ No.*
Ar chóirigh tú an teach?	*Did you tidy the house?*
Chóirigh/ Níor chóirigh.	*Yes/ No.*
Ar éist siad le ceol?	*Did they listen to music?*
D'éist/ Níor éist.	*Yes/ No.*

The *d'* before verbs beginning with a vowel or *f* disappears when these are preceded by *ar* or *níor*.

Ar fhág Elvis an foirgneamh?	*Did Elvis leave the building?*
Níor fhág. (Tá sé i dteach Roarty!)	*No. (He's in Roarty's!)*
Ar fhoilsigh Treasa an leabhar?	*Did Treasa publish the book?*
D'fhoilsigh/ Níor fhoilsigh.	*Yes/ No.*

2a. The Past Participle

The past participle of the verb is created simply by adding –te/ –the or –ta/ –tha to the root of the verb. The ending selected depends on two things: firstly, whether the final vowel of the root of the verb is broad or slender; secondly, whether the final consonant is one of the 'dentals,' i.e., d, n, t, l, s.

Look at the following examples.

If the final consonant is a dental then the ending will either be *–ta/ –te.*

Déan

Tá an obair déanta. *The work is done.*

Druid

Tá an fhuinneog druidte. *The window is closed.*

If the final vowel is not a dental then the ending will either be –tha/ –the.

Scuab

Tá an t-urlár scuabtha. *The floor is swept.*

2b.

Tréig

Tá an baile tréigthe. *The town is deserted.*

If a verb belongs to the second declension the *–igh* at the end is shortened to *–i* and *–the/– tha* is added to the end.

Imigh

Tá na cuairteoirí imithe. *The visitors are gone.*

Tiontaigh

Tá an taoide tiontaithe. *The tide is turned.*

1. Líon na bearnaí agus tabhair freagra dearfach agus diúltach ar achan cheist! Tá na briathra le fáil sa bhocsa ag bun an leathanaigh.

(a) Ar __________ sibh na milseáin?
(b) Ar __________ tú an madadh amach?
(c) Ar __________ tú go luath inniu?
(d) __________ thart!
(e) Ar __________ Páid an carr ag an deireadh seachtaine?
(f) Ar __________ sé rphost?
(g) Ar __________ Máire sa bhaile aréir?
(h) Ar __________ siad an nuachtán.
(i) Ar __________ Ciara amhrán?
(j) Ar __________ tú leis an cheacht a dhéanamh?
(k) Ar __________ Liam bainne sa siopa?
(l) Ar __________ na páistí an fhuinneog?
(m) Ar __________ Sam an hata dearg?
(n) Ar __________ na plandaí?
(o) Ar __________ Iain an bainne?
(p) Ar __________ siad leat?
(q) Ar __________ siad an fhuinneog sin ar maidin?
(r) Ar __________ Íde leithscéal?
(s) Ar __________ tú ag foghlaim Béarla?
(t) Ar __________ tú ón chathaoir?
(u) Ar __________ tú an fhírinne go fóill?
(v) Ar __________ Greg a chiall?

fan	ceannaigh	caill	léigh
bog	éirigh	bris	caith
éist	glan	admhaigh	can
tosaigh	ith	scríobh	fás
oscail	ól	cuidigh	gabh

2. Aistrigh an comhrá go Gaeilge.

A: Where were you this morning?
B: I went to the beach.

....

....

A: Did you buy ice cream?
B: No. It was too cold.

....

....

A: Did Cáit walk home?
B: No.

....

....

A: Did Síle close the door?
B: No! It's open.

....

....

A: Did the music finish late last night?
B: Yes, it finished at two o' clock

....

....

3.

(a) Dhruid sé an doras. Anois tá an doras__________.

(b) D'ól sé an bainne uilig. Tá an bainne __________.

(c) Mhaisigh sé an crann. Tá an crann __________.

(d) D'imigh sé leis ar maidin. Tá sé __________.

(e) Níor fhág sé pingin rua agam. Níl pingin rua __________.

(f) Dhúisigh mé go luath ar maidin. Tá mé __________.

(g) Chuir mé an leabhar gramadaí sa ghairdín ar maidin.
Tá an leabhar gramadaí __________.

Aonad 19

An Aimsir Fháistineach
The Future Tense

1a. ÉIST

Seán: An dtiocfaidh tú amach anocht, a Ghráinne?	*Will you come out tonight, Gráinne?*
Gráinne: Tiocfaidh, cinnte.	*I certainly will.*
Seán: An mbeidh tú i dteach Bhiddy nó i dteach Roarty?	*Will you be in Biddy's or Roarty's?*
Gráinne: Beidh ceol maith i dteach Bhiddy, sílim.	*There will be good music in Biddy's, I think.*
Seán: Beidh sin go hiontach.	*That will be wonderful.*
Gráinne: Tchífidh mé ansin ag a deich tú, mar sin.	*I'll see you there at 10, then.*
Seán: Seolfaidh mé téacs chugat ar ball.	*I'll send you a text later.*
Gráinne: Beidh mé ag fanacht!	*I'll be waiting!*

Below is a list of the irregular verbs in the future tense.

Abair	*say*	An ndéarfaidh tú?	Déarfaidh / Ní déarfaidh
Beir	*catch/ give birth to*	An mbéarfaidh tú?	Béarfaidh / Ní bhéarfaidh
Bí	*be*	An mbeidh tú?	Beidh / Ní bheidh
Cluin	*hear*	An gcluinfidh tú?	Cluinfidh / Ní chluinfidh
Déan	*do/make*	An ndéanfaidh tú?	Déanfaidh / Ní dhéanfaidh
Faigh	get	An bhfaighidh tú?	Gheobhaidh / Ní bhfaighidh
Feic	*see*	An bhfeicfidh tú?	Tchífidh/ Ní fheicfidh
Ith	*eat*	An íosfaidh tú?	Íosfaidh / Ní íosfaidh
Tabhair	*give*	An dtabharfaidh tú?	Tabharfaidh / Ní thabharfaidh
Tar	*come*	An dtiocfaidh tú?	Tiocfaidh / Ní thiocfaidh
Téigh	*go*	An rachaidh tú?	Rachaidh / Ní rachaidh

1a. An Chéad Réimniú

If the last **vowel** in the root of the verb is broad, (a, o, u), –*faidh* is added to the end of the root.
If the last **vowel** in the root of the verb is slender, (i, e), –*fidh* is added to the end of the root.

Verb + -*faidh* + noun/ pronoun
(e.g. Glan**faidh** Seán an seomra)

Verb + -*fidh* + noun, pronoun
(e.g. Ní chreid**fidh** Máire an scéal)

Question: verb preceded by *an* + urú
Negative: verb preceded by *ní* + séimhiú

Caol le Caol
Leathan le Leathan

Glac

An nglacfaidh tú sos inniu?	*Will you take a break today?*
Glacfaidh / Ní ghlacfaidh.	*Yes/ No.*

Brís

An mbrisfidh tú mo chroí?	*Will you break my heart?*
Brisfidh/ Ní bhrisfidh.	*Yes/ No.*

Éist

An éistfidh tú liom?	*Will you listen to me?*
Éistfidh / Ní éistfidh.	*Yes/ No.*

1b. An Dara Réimniú The Second Conjugation

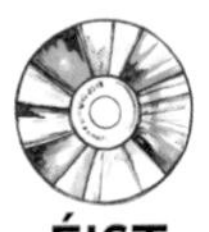

ÉIST

- A Phádraig, an mbaileoidh tú mé maidin amárach?	*Pádraig, will you collect me tomorrow morning?*
- Baileoidh, ach ní bheidh mé ann go dtí a deich.	*Yes, but I won't be there until ten.*
- Fiafróidh mé de Cháit an mbeidh sise ag imeacht roimhe sin. Caithfidh mé a bheith san oifig ag leath i ndiaidh a naoi.	*I'll ask Cáit if she will be leaving before that. I have to be in the office at half nine.*
- Ceart go leor.	*OK.*
- Cuirfidh mé scairt ort ar ball.	*I'll call you later.*
- Slán go fóill!	*Bye for now.*

1b.

Most second conjugation verbs end with *–igh.* In order to put them into the future tense the *-aigh/ -igh* is replaced by *–óidh/ –eoidh.*

> **Verb** +
> -óidh + noun/ pronoun
> (An bhfiosr**óidh** tú an scéal domh?)
>
> -eoidh + noun, pronoun
> (e.g. An gcuid**eoidh** tú liom)
>
> Question: verb preceded by *an* + urú
> Negative: verb preceded by *ní* + séimhiú

Fiafraigh

An bhfiafróidh tú cad é an t-am é?	*Will you ask what the time is?*
Fiafróidh / Ní fhiafróidh.	*Yes/ No.*

Aontaigh

An aontóidh tú liom?	*Will you agree with me?*
Aontóidh / Ní aontóidh.	*Yes/ No.*

Maisigh

An maiseoidh tú an seomra?	*Will you decorate the room?*
Maiseoidh/ Ní mhaiseoidh.	*Yes/ No.*

Bailigh

An mbaileoidh sibhse na héadaí?	*Will you collect the clothes?*
Baileoidh/ Ní bhaileoidh	*Yes/ No.*

Foclóir

bris	*break*
glac	*take*
leag	*knock over*
creid	*believe*
múin	*teach*
póg	*kiss*
scread	*scream*
stán	*stare*
tuig	*understand*
doirt	*spill*
seol	*send*
glac	*take*
téacs	*a text message*
scairt	*a call*
ar ball	*later*
croí	*heart*

Foclóir

cúlaigh	*reverse*
ionsaigh	*attack*
damhsaigh	*dance*
malartaigh	*swap*
treoraigh	*direct*
aontaigh	*agree*
fiafraigh (de)	*ask a question*
múscail	*wake*
neartaigh	*strengthen*
soilsigh	*shine*
maisigh	*decorate*

1. Tabhair freagra dearfach agus freagra diúltach ar na ceisteanna seo.

(a) An ndúiseoidh sibh Máire go luath ar maidin?
(b) An ndíolfaidh tú an carr sin liom?
(c) An mbeidh sibh sa teach tábhairne anocht?
(d) An bpósfaidh tú mé?
(e) An scaipfidh siad an scéal?
(f) An lasfaidh sibh na soilse?
(g) An dtiocfaidh muid le chéile ag an Nollaig?
(h) An gcuideoidh duine ínteacht liom?
(i) An gcaithfidh Anna an chasóg seo?
(j) An rachaidh muid go Doire amárach?
(k) An gcasfaidh muid port?
(l) An mbogfaidh muid?
(m) An ndéanfaidh an rang an ceacht?

2. Líon na bearnaí!

(a) An ______ tú gar domh, a Shéain?
(b) Ní ______ mé leat níos mó!
(c) Ní ______ mé fíon dearg arís.
(d) An ______ sibh na lampaí, tá sé dorcha go leor anois.
(e) An ______ sibh deoch liom?
(f) An ______ sibh an doras oscailte ansin?
(g) Ní ______ an madadh sin amach ón tine.
(h) ______ mise go luath sibh ar maidin.
(i) An ______ liom ag an chruinniú anocht?
(j) An ______ muid abhaile anois. Tá tuirse orm.

dúiseoidh	imeoidh	ndéanfaidh	lasfaidh	ólfaidh
bhacfaidh	bhfágfaidh	bhogfaidh	aontóidh	

3. **Cuir le chéile.**

(a) Casfaidh mé leat san amharclann	(i) mé an solas. Tá sé rógheal.
(b) An ndéanfaidh	(ii) an scéal faoi rún?
(c) Imeoidh	(iii) muid deoch an dorais.
(d) An ndúiseoidh tú	(iv) tú arís, buíochas le Dia.
(e) Ní fheicfidh mé	(v) mé go luath ar maidin?
(f) An gcoinneoidh tú	(vi) mé anois.
(g) Ólfaidh	(vii) ag leath i ndiaidh a hocht.
(h) Ní lasfaidh	(viii) gramadach go deo.
(i) Ní thuigfidh mé	(ix) tú an ceacht amárach?